大魚讀品
BIG FISH BOOKS

让日常阅读成为砍向我们内心冰封大海的斧头。

一个人的朝圣

[英] 蕾秋·乔伊斯／著
黄妙瑜／译

THE UNLIKELY PILGRIMAGE of HAROLD FRY

RACHEL JOYCE

北京联合出版公司
Beijing United Publishing Co.,Ltd.

图书在版编目（CIP）数据

一个人的朝圣 / (英) 蕾秋・乔伊斯著 ; 黄妙瑜译
. -- 北京 : 北京联合出版公司, 2017.4
ISBN 978-7-5596-0081-3

Ⅰ. ①一… Ⅱ. ①蕾… ②黄… Ⅲ. ①长篇小说－英
国－现代 Ⅳ. ①I561.45

中国版本图书馆CIP数据核字（2017）第072562号

著作权合同登记 图字：01-2013-0371

The Unlikely Pilgrimage of Harold Fry by Rachel Joyce

Published by agreement with Conville & Walsh through The Grayhawk Agency.

一个人的朝圣

作　　者：蕾秋・乔伊斯
译　　者：黄妙瑜
责任编辑：徐秀琴　昝亚会
策划监制：冯　倩
特约编辑：万巨红
封面设计：棱角視覺 ANGULAR VISION

北京联合出版公司出版
（北京市西城区德外大街83号楼9层　100088）
河北鹏润印刷有限公司印刷　新华书店经销
字数217千字　880毫米×1230毫米　1/32　印张10.5
2017年6月第1版　2017年6月第1次印刷
ISBN 978-7-5596-0081-3
定价：39.80元

那封改变了一切的信，是星期二寄到的。

目录

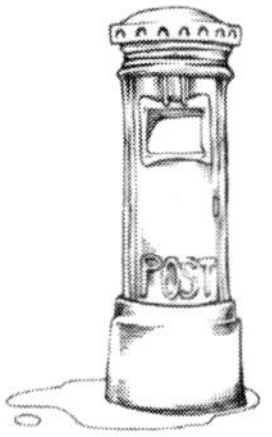

1

哈罗德与信

那封改变了一切的信，是星期二寄到的。四月中旬一个再平凡不过的早晨，空气中飘着洗衣粉的香气和新鲜的草腥味。哈罗德·弗莱刚刮完胡子，穿着整洁干净的衬衫，系着领带，坐在饭桌前。他手里拿着一片吐司，却没有吃的意思，只是透过厨房的窗户，凝视着修整过的草坪。草坪正中间杵着莫琳的可升降晾衣架，一小片绿被邻居的木栅栏紧紧围起来。

“哈罗德！”莫琳大声叫道，压过了吸尘器的声音，“信！”

哈罗德也想出去走走，但是现在出去唯一可以做的就是修修草坪，而他昨天才刚剪过。吸尘器突然安静下来，一会儿工夫，莫琳拿着一封信气鼓鼓地走进了厨房，坐到哈罗德对面。

莫琳一头银发，身材苗条，走起路来轻快利索。他们刚认识的时候，哈罗德最开心的事情就是逗她发笑，看着身材匀称的她笑得前俯后仰，乐不可支。“给你的。”莫琳说。等她将信放到桌上轻轻一推，信滑到哈罗德肘边停下，他才反应过来。两人都盯着那信封。信封是粉色的。“是贝里克郡的邮戳。”

在贝里克郡，他并不认识谁。他在各地都不认识几个人。“可能弄错了吧？”

“我觉得不是。邮戳总不会盖错吧。”她从面包架上拿起一片吐司——莫琳喜欢吃放凉以后又松又脆的吐司。

哈罗德仔细地打量起这个神秘的信封。不是浴室套装常用的那种粉色，也不是配套毛巾和马桶垫圈的粉色，它们常常过于明艳，让哈罗德有种浑身不自在的感觉。这个信封的粉色雅致柔和，就像土耳其软糖一样。信封上的字是用圆珠笔写的，一个个潦草而笨拙的字母挤在一起，仿佛是哪个孩子在慌忙中匆匆写下的。“哈姆斯南部，金斯布里奇村，福斯桥路，H.弗莱先生收”。他辨识不出这是谁的字迹。

“谁啊？”莫琳边说边递过一把拆信刀。他把刀子插进信封，一下划开。“小心点。”莫琳提醒道。

哈罗德把信拿出来，感觉到莫琳一直在盯着他。他扶了扶老花镜。信是打印的，地址是一个他从没听过的地方：圣伯纳丁临终关怀疗养院。“亲爱的哈罗德：这封信也许会让你小吃一惊。”他的目光一下跳到信的末尾。

“谁啊？”莫琳又一次问道。

“天啊！是奎妮·轩尼斯。”

莫琳挑起一小块黄油，在吐司上抹匀：“奎妮什么？”

“她在酿酒厂做过，好多年前了。你不记得了吗？”

莫琳耸耸肩：“我记这个做什么，干吗要记住那么多年前的人。递一下果酱好吗？”

“她是财务部的，做得可好了。”

“那是橘子酱，哈罗德。果酱是红色的。拿之前用眼睛看一下，这样你就不会老拿错东西了。”

哈罗德静静地把她要的瓶子递给她，又读起信来。果然写得流畅又整洁，和信封上的鬼画符一点都不像。他一时间笑了，忆起奎妮总是这个样子的，做什么事都一丝不苟，叫人无可挑剔。“她还记得你呢，向你问好。”

莫琳抿抿嘴：“收音机里有个小伙子说法国人觊觎我们的面包。法国的不够分了，他们就来这儿把我们的都买光。那人说我们到夏天就可能供不应求了。”她停了一下，“哈罗德，怎么了？发生什么事了吗？”

哈罗德一言不发。突然他站起来，嘴微微张着，脸色苍白。到他终于能说出话来，声音却微弱而遥远：“她……得了癌症。她是写信来告别的。”他还想说些什么，却一个字也说不出，只好到处摸索着，终于猛地从裤袋里抽出一条手帕，重重一擤鼻子，“我……唔，天啊！”眼里盈满了泪水。

一片安静。或许过了几分钟。莫琳咽了一下口水，打破了沉默，“我真抱歉。”她说。

他轻轻动了一下，想抬起头来给她一点回应，却没有力气。

“今天天气不错，”她又说，“不如把露台的椅子搬出来坐坐？”但他只是静静地坐在那里，动也不动。莫琳默默把脏盘子收拾好，回到厅里。不一会儿，吸尘器又轰轰地响起来。

哈罗德感觉有点喘不过气来，好像哪怕动一下四肢，甚至只是牵动一丝肌肉，他努力压抑着的复杂情绪都会喷薄而出。怎么这样就过了二十年，连一个字都没有写给过奎妮？她的形象渐渐浮现在眼前，一个娇小的黑发女人。多年前曾和他一起工作过。她应该有……多大了？六十？还得了癌症，在贝里克郡等待最后时刻的来临。真不可思议，他想。全世界那么多地方，偏偏是在贝里克——虽然他从来没有去过那么北的地方。他望向窗外的花园，看到一个塑料袋挂在月桂篱上，在风中上下翻飞，却无法挣脱，获得自由。他把奎妮的信装进口袋，轻轻按了两下，确认放稳妥了，才站起来。

莫琳轻轻掩上戴维的房门，站了一会儿，感受着他的气息。她拉开每晚都会为他合上的蓝色窗帘，看垂到窗台的帘子边缘有没有沾上灰尘；然后细细擦拭他在银色相框里的剑桥留影，还有旁边的黑白婴儿照。房间每天都打扫得干干净净，因为她在等戴维回来。谁也不知道他哪一天会突然出现。在她心里，会有一部分永远这么等着。男人不会明白身为人母是什么感觉，那种因为爱得太深而带来的痛，即使孩子已经离开也不会消散。她又想到楼下的哈罗德，还有那封粉色的信，心想要是能和戴维聊聊就好了。她悄悄离开了戴维的房间，就像进去时一样。

哈罗德·弗莱从梳妆台抽屉里翻出几页信纸和莫琳的圆珠笔。该对一个罹患癌症即将离世的女人说些什么？他很想告诉她自己有多遗憾，但“深表同情”几个字感觉怎么都不对，店铺里的那些卡片上才会写些这样的祝福语，而且也太正式了，显得他其实并不那么在乎。他试着下笔：“亲爱的轩尼斯小姐：真诚希望你的身体早日康复。”停下来想想，太拘谨了，况且也已经不太可能发生，于是把纸揉成一团丢掉，重新开始。他从来都不太会表达自己。这个消息给他带来的震撼太大了，实在很难用语言去形容；就算他有这个能力，向一个二十年没联系的昔日好友倾诉这些，好像也不太恰当。如果换过来是他病了，奎妮一定会知道该怎么做。要是他对自己也那么有信心就好了。

“哈罗德？”莫琳吓了他一跳。他以为她还在楼上擦擦洗洗，或者和戴维说话。她把金盏花拿了出来。

“我在给奎妮回信。”

“回信？”她总是爱重复他的话。

“对。你要不要也署个名？”

“不用了吧。给一个不认识的人写信感觉有点怪怪的。”

不要再为说辞患得患失了，简简单单地把心里的话写出来就好。“*亲爱的奎妮：谢谢你的来信。听到这个消息我真的很抱歉。祝好，~~你的~~哈罗德（弗莱）*。”有点无力，但也只能写成这样了。他迅速装好信，封上信封，把圣伯纳丁临终关怀疗养院的地址抄上去。“我去一趟邮局，很快回来。”

已经过了十一点。哈罗德从挂衣钩上取下防水外套——莫琳喜欢他把衣服挂在那里，打开门，一股温暖、微咸的空气扑面而来，他刚抬起脚，妻子就叫住了他。

“会去很久吗？”

“到街尾就回来。”

她依然抬头看着他，用她那双墨绿色的眼睛，纤细的下巴微微抬起。他真希望自己知道该对她说些什么好，但偏偏事与愿违；至少没有什么话能改变目前这种状况。他渴望能像旧时那样触碰她，把头靠在她的肩膀上，好好歇息一下。但现在太迟了。“待会儿见，莫琳。”他小心地把门关上，以免发出太大的响声。

福斯桥路位于金斯布里奇的一座小山上，是房地产经纪口中居高临下的好地段，有绵延的乡村景观可供欣赏，只是家家户户的花园都颤巍巍地向低处的马路倾斜，园里的植物都保命似的紧紧缠绕着竹栅栏。哈罗德大步走下水泥陡坡，速度有点快了，他留意到有五朵新开的蒲公英。也许下午他还会把那张《西部大赶集》翻出来听听呢。那就了不起了。

住在隔壁的雷克斯看到他，朝他挥挥手走过来，在篱笆边停下。雷克斯并不高，头和脚都小小的，中间挺着个圆滚滚的大肚子，有时，哈罗德担心，如果他跌倒，就会像个水桶一样骨碌碌滚到山下，停都停不下来。他的妻子伊丽莎白六个月前去世了，大约就在哈罗德退休那阵子。自此以后雷克斯就老爱向别人诉说生活有多艰难，一开口就没完没了。“至少你可以听一听呀。”莫琳说。只是哈罗德弄不清她的这个“你”到底是泛泛地指所有人，还是就针对他一个。

“出来逛逛？”雷克斯问。

哈罗德试着摆出一副“我现在没时间”的样子，半开玩笑地说：“嘿，老朋友，有没有什么要寄的？”

“没人会写信给我。伊丽莎白走了以后，信箱里就只剩传单了。”

雷克斯凝视着半空，哈罗德马上意识到这段对话在往某个方向发展了。他抬眼瞥一下天，几缕云飘在高远的空中。“天气真好。”

“是啊。”雷克斯应道。一阵沉默。他重重叹一口气，“伊丽莎白最喜欢阳光了。”又静了下来。

“今天很适合除草啊，老友。”

“是啊。哈罗德，你会把割下来的草制成肥料，还是盖在植物上护根？”

“护根的话会粘在鞋底，莫琳可不喜欢我把杂草带进屋里。”哈罗德低头看看脚上的帆船鞋，奇怪为什么人们根本没有出海的打算，却还要穿着它们。“嗯，我该走了。得在中午邮差收信前赶过去。”他挥挥手中的信封，转身走开了。

有生以来第一次，哈罗德为比预期中早看见邮筒感到失望。他还特地绕了点路，但邮筒已经在那里了，在福斯桥路的转角等着他。哈罗德将给奎妮的信举到投信口，又停了下来，回头看向走来的路。

座座独立的房子刷成了黄色、蓝色、橙红色，都被岁月洗刷得有点斑驳了。有些房子还保留着五十年代的尖顶，一根根装饰用的梁木围成半个太阳的形状；有几栋盖有嵌着石板的小阁楼；还有一间完全按照瑞士风格的小木屋作了改装。哈罗德和莫琳四十五年前刚结婚就搬到这里来了，光是房子的订金就花光了哈罗德所有的积蓄，连买窗帘和家具的钱都没有了。他们比较内敛，这些年来邻居们来来去去，只有哈罗德和莫琳一直留在这里。家门前曾经有过一小片蔬菜田，还有个别致的小池塘。一到夏天，莫琳就会亲手制作印度风味的酸辣酱，戴维还在池塘里养过小金鱼。屋子后面曾经有个棚舍，挂着各种园艺工具，还有一卷卷麻线、绳索，里面总弥漫着一股肥料的味道。但这一切早就成了过去。就连戴维的学校——就在他的小房间旁边——都已被铲平，变成了五十间红色、蓝色、黄色的房子，房前的街灯也改成了乔治王朝时代的风格。但这四十五年里，哈罗德又做了些什么呢？

他想到了写给奎妮的信，为那几行软弱无力的字感到羞愧。他想象自己回到家里，听着莫琳叫戴维的声音；除了奎妮即将在贝里克郡离开这个世界，他的生活将一成不变。哈罗德突然间不能自持，信明明已经放到黑幽幽的投信口，却怎么也投不进去——他没法松手。

虽然身边没有什么人，他突然大声说了一句：“反正今天天气这么好。”既然没有别的事可做，他大可以逛一逛，走到下一个邮筒再说。趁自己还没有改变主意，他拐过了福斯桥路的路口。

这么冲动可不像哈罗德，他自己也知道。自退休后，日子一天天过去，几乎每天都是一样的，只是裤带更紧了，头发掉得更多了。他睡得很差，有时整晚都睡不着。当另一个邮筒又比想象中更早出现在视线里时，他再次停下；仿佛一件什么事情开始了，虽然他还不知道是什么，但自己已经在做了，而且停不下来。细密的汗珠在他额头上沁出，血管因为期待而不安分地跳动。如果他走到福尔街那个邮局的话，信肯定要第二天才能寄出了。

哈罗德继续沿着新住宅区走下去，温暖的阳光覆在他脑后、肩上。经过窗户的时候往里瞥一眼，有时是空的，有时恰好有人，一旦对上他们的眼神，哈罗德就有一种必须赶紧离开的感觉。有时他也会看到意料之外的东西，比如一座瓷像，一个花瓶，甚至一个大号，都是人们用来阻隔外界污染，保护自己内心柔软的物件。他试着想象人们经过福斯桥路13号时会怎么想象他和莫琳的生活，随即意识到他们不会了解到太多，因为家里装着窗帘呢。他往码头方向走去，大腿上的肌肉开始一抽一抽。

潮退了，几艘小船错落着泊在坑坑洼洼的黑色河泥上，懒洋洋的，已经褪了色。哈罗德蹒跚着走到一张空着的长凳旁坐下，打开了奎妮的信。

她还记得。过了这么多年，她还记得。而他却一成不变，任岁月蹉跎，好像她做的一切都没有意义。他没有试着阻止她，也没有追上去，甚至没有道一声再见。又有眼泪盈上他的眼眶，模糊了天空与眼前马路的界限。迷茫中好像出现了一个年轻母亲和她孩子的剪影，他们手中握着雪糕筒，像举着火炬一样。她抱起孩子，放到椅子的另一头。

“天气真好。”哈罗德努力让自己听起来不像一个正在哭的老人。她没有抬头，也没有附和，只是弯腰把孩子手上正在融化的雪糕舔了一下，不让雪糕滴下来。男孩看着他的母亲，两人离得那么近，动也不动，仿佛已经融为一体。

哈罗德努力回忆自己有没有试过和戴维在码头边吃雪糕。

应该是有的，即使他无法成功地在脑海中搜寻出这一段回忆。他一定要把这件事做完：把信寄出去。

午休的上班族在古溪旅馆外面拿着啤酒嬉笑，哈罗德几乎看都没看他们一眼。爬上福尔街陡峭的上坡路时，他脑子里全是刚才那个母亲，她全心全意地沉浸在自己和孩子的世界里，忽略了其他所有人。他突然意识到一直以来都是莫琳把两人的近况告诉戴维，是莫琳在所有信件、卡片的结尾处替他署下“爸爸”两个字，甚至连他老父亲去的疗养院也是莫琳找的。接着一个问题出现了——当哈罗德站在斑马线前按下行人按钮时——如果一直是她在做哈罗德该做的事，那么——

“我是谁？”

他就这样走过了邮局，连停都没有停下。

2

哈罗德、加油站女孩与信仰的问题

哈罗德·弗莱几乎走完了整条福尔街。他走过那家倒闭了的沃尔沃斯零售店，一个坏老板开的肉店（“那人会打老婆的。”莫琳说），一个好人开的肉店（“是他老婆不要他，离家出走了。”），还有钟楼、废墟和《南哈姆斯公报》的办公楼，直到最后一家店铺。每走一步，哈罗德小腿上的肌肉都扯一下，呼吸也越来越急促。他身后的河口在阳光下仿佛一块闪闪发光的锡片，远处河面上的小船已化成白色光点。哈罗德在旅行社前停下，假装浏览窗子上贴着的超值旅行计划，想趁路人不注意稍作休息。巴厘岛、那不勒斯、伊斯坦布尔、阿布扎比，他母亲曾经用最梦幻的语言给他描述过这些地方：那里的土地长满热带植物，那里的姑娘头上都戴着花……以至于他从小就对自己不了解的世界本能地充满了怀疑。和莫琳结婚后，这种情况并没有改变多少，后来戴维又出生了，他们只是每年去伊斯特本同一个度假营待两周。哈罗德深深地呼吸几下，定一定神，继续往前走去。

店铺变成了民居，有些外墙是用粉灰色德文石铺的，有些是粉刷的，还有些贴着石板瓷砖。玉兰开得正好，一朵朵白色的星形点缀在叶子上，闪闪发亮，像假花一样。已经一点了，邮差肯定已把今天的信收走了。他打算买个小点心填饱肚子，然后找下一个邮筒。又过了一个交通灯，哈罗德往加油站走去，那里连房子都没有了，只剩下大片的空地。

有个小姑娘坐在柜台前打哈欠。她在T恤衫外面罩了一件红色马甲，上面别着一只“很高兴为您服务”的襟章；头发油乎乎地挂在脑袋两边，露出两只耳朵；脸上有些痘印，肤色苍白，好像长时间关在室内没有见过阳光一样。刚开始他问有没有小点心的时候，她甚至没有听懂。

“哦！你是说汉堡？”她终于明白过来，吃力地挪到冰箱旁取出一个特大的芝士汉堡和薯条套餐，教他怎么用微波炉加热。

“天哪，”哈罗德看着在微波炉里转动的汉堡说道，“我不知道你们加油站还有卖正餐的。”

那女孩递过一个装着番茄酱和甜酱的碗，边擦手边问：

“加油吗？”她有一双小孩子的手。

“不用，不用，我只是路过。我是走路过来的。”

“哦！”她说。

“我要寄封信给一个老朋友。她得了癌症。”让他吃惊的是自己说出那个词前停了一下，声音也变低了，还下意识地开始摆弄手指。

女孩点了点头：“我阿姨也是。这病简直无处不在。”她将眼神投向店里的柜子上，好像它就藏在汽车协会地图和那些海龟牌上光蜡后面，“但你总要积极点。”

哈罗德停下握着汉堡的手，用纸巾擦擦嘴角：“积极点？”

“你一定要有信念。反正我是这么想的。不能光靠吃药什么的。你一定要相信那个人能好起来。人的大脑里有太多的东西我们不明白，但是你想想，如果有信念，你就一定能把事情做成。”

哈罗德充满敬畏地看着这个女孩。他也不知道怎么会这样，但她现在看起来就像是站在一团光中央，好像太阳转了一个方向，连她的发丝皮肤都明亮清晰起来。也许是他盯得太专注了，甚至还可能叹了一声，只见女孩耸耸肩，咬住了下嘴唇：“我是不是在说废话？”

“老天，不是的，才不是呢。你的话很有意思。我恐怕从来没有弄明白过宗教这回事。”

“我并不是说要……信教什么的。我的意思是，去接受一些你不了解的东西，去争取，去相信自己可以改变一些事情。”

他觉得自己从来没有见过这么简单的坚毅和笃定，更别说是在一个年轻人身上。听她一说，好像这些都显而易见似的。“她后来好了，是吗？你那位阿姨？因为你的信念？”

女孩没有说话。她动一动嘴唇，嘴半张着停了片刻，又紧紧闭上。

“有人吗？”一个穿细条纹套装的男人在柜台那边叫了一声，百无聊赖地在台面上轻轻敲打着手中的车钥匙。

女孩绕回柜台前，哈罗德紧紧跟了上去。条纹衫男人装模作样地看看表，手腕高高举到空中，指着表盘说：“我要在三十分钟内赶到埃克赛特。”

“加油吗？”女孩回到堆着香烟和彩票的位置问道。哈罗德试着捕捉她的眼神，但她却没再看过来。她又成了刚才那个迟钝、空洞的人，好像两人之间的对话从来没有发生过一样。

哈罗德把汉堡钱放下，往门口走去。信仰，她说的是这个词吧？这并不是一个平时常听到的词汇，但是很奇怪，他偏偏碰巧在这天早上读完奎妮的信之后听到了。即使他并不十分明白女孩说的信仰指什么，甚至不清楚他能相信几分，但这个词听起来感觉太对了。它在他脑子里萦绕回响，经久不散，让他不知所措。从六十五岁那年开始，他就对未来的困难做好了心理准备：关节会越来越僵硬，耳朵会越来越不灵敏，眼睛一吹风就会不停地流泪，胸腔还会忽然一阵刺痛，好像预示着什么不祥似的。但现在这种突如其来的感觉又是什么呢，怎么这么有力，让他身体微微颤抖，双腿跃跃欲试？他转向A381街，发誓到下一个邮筒一定会停下来。

他已经快走出金斯布里奇了。马路渐渐变窄，成了一条小车道，最后干脆连人行道也没了。头顶绿树成荫，蓊郁的枝叶连成一条隧道，尖尖的新芽和云一样的花簇缠绕其中。他不止一次贴向旁边的山楂树，避开路过的汽车。有些车上只有一个司机，哈罗德猜他们一定是在上下班的路上，因为他们个个都表情凝滞，好像所有的喜悦都被榨干了。有些车里坐着母亲和孩子，看起来同样疲惫不堪。那些像莫琳和他一样的伴侣也是一副僵硬的疲态。哈罗德突然有一种朝他们挥手的冲动——他是喜欢和人交往的，他希望自己对他们有更深的了解，明白他们之所爱，之所失。但他终究没有抬手——走了那么久，他已经气喘吁吁了，不想再引起不必要的惊慌。

大海已被远远地抛在身后，面前是绵延的小山和达特姆尔高原的蓝色轮廓。高原那边呢？是布拉克山脉，然后是门迪普小丘、马尔文丘陵、奔宁山脉、约克郡谷、哲维山，再过去就是特威德河边的贝里克郡了。

然而在这里，就在马路对面，一个邮筒出现了。邮筒旁边有一个电话亭。哈罗德的旅程到头了。

他一步步向前挪着步子。刚才错过了那么多个邮筒，还有两辆邮车和一个骑着摩托的邮差。他想起了自己错过的其他东西——那些人，那些机会，那个不再愿意与他对话的儿子，还有被他辜负了的妻子。他想起了疗养院里的父亲，想起母亲放在门边的行李。现在还有一个二十年前就已经证明了自己一片真挚的朋友。这是注定的吗？难道他必须放弃这些东西，仿佛它们真的无足轻重？这个无可奈何的发现重重地压在他心上，让他喘不过气来。一封信太不够了，一定还要再做点什么。他蹒跚着回到路上，满面悲痛。伸手摸向袋子，才发现手机落在家里了。他心里一惊。

一辆小货车突然急刹车，险些没避开哈罗德。“找死呀！”司机嚷道。

哈罗德听若不闻，对邮筒也视而不见。他走进电话亭，把奎妮的信握在手里。

信封上有地址和电话号码，但他的手指颤得如此厉害，几乎连数字都输不进去。在等待的空当，电话亭里的空气变得凝结滞重，一滴汗从他肩胛骨间滑落。

响了十来下后，话筒那头终于响起哐啷一声，传来一个口音浓重的声音：“下午好。圣伯纳丁疗养院。”

“我想找一位病人，名叫奎妮·轩尼斯。”

电话那头停了一下。

哈罗德加了一句：“是急事。我想知道她怎样了。”

接电话的女人发出一种奇怪的声音，好像是一声长长的叹息。哈罗德的背脊突然升起一缕寒意。太晚了，奎妮死了。他紧紧咬住自己的手。

那个声音说：“恐怕轩尼斯小姐正在睡觉。我可以帮您传个口信吗？”

小朵的云在地上投下影子，走得飞快。远山的光影一片雾蒙蒙，不是因为薄暮，而是因为山前蔓延的大片空地。他思量着现在的情景：奎妮远在英格兰的那一头小睡，而他站在这一头的小电话亭里，两人之间隔着他毫不了解、只能想象的千山万水：道路、农田、森林、河流、旷野、荒原、高峰、深谷，还有数不清的人。他要去认识它们，穿过它们——没有深思熟虑，也无须理智思考，这个念头一出现，他就决定了。哈罗德不禁为这种简单笑了。

“请告诉她，哈罗德·弗莱正在来看她的路上。她只要等着就好。因为我会来救她，知道吗？我会走过去，而她一定要好好活着。听清楚了吗？”

那个声音回了一声：“是。还有其他事情吗？比如说，你知道每天的探访时间吗？你知道停车场的规定吗？”

哈罗德重复道：“我不开车。我要她活下来。”

“不好意思。您说车子怎么了？”

“我会走路过来。从南德文郡一路走到贝里克郡。”

那个声音不耐烦地一叹：“这条路可不好开啊。您在干什么？”

“我走路过去！”哈罗德大声叫道。

“哦，”那声音慢条斯理地回应，好像她正在用笔记下来似的，“走路过来。我会告诉她的。还有什么吗？”

“我现在马上出发。只要我一天还在走，她一天就要活着。请告诉她这次我不会让她失望。”

哈罗德挂上电话走出亭子，一颗心跳得如此之快，好像要从胸腔里跳出来。他用颤抖的手将给奎妮的信从信封里抽出来，抵在电话亭的玻璃墙上匆匆加了一句“等我。H.”就把信寄出去了。

哈罗德凝视着眼前的长街，还有远处达特姆尔公园那阴森森的围墙，又看了看脚上的帆船鞋。他在心里问自己：天啊，我刚才到底做了什么？

头顶的海鸥拍拍翅膀，叫了一声。

3

莫琳与电话

大晴天最好的地方就是让灰尘无所遁形，晾出来的衣服也干得快，几乎比干衣机更省时间。莫琳又喷又擦又漂又洗，将桌面上所有的污渍细菌都消灭干净了。床单已经洗好晾干，重新铺到她自己和哈罗德的床上。哈罗德不在家让她松了一口气，从六个月前他退休时起，哈罗德就几乎没怎么出过家门。现在没什么事可做了，她突然又有点焦虑，没了耐心。拨通哈罗德的电话，却听到楼上传来熟悉的马林巴琴铃声。她听着电话里紧张支吾的录音：“这里是哈罗德·弗莱的语音信箱。非常不好意思，但是他——他不在。”中间停顿那会儿特别长，好像他真是在环视四周寻找自己似的。

已经过五点了。他从来不会这样。连那些寻常的声音——厅里挂钟的嘀嗒、冰箱的轰鸣，都比平时大声。他去哪儿了？

莫琳试着用《电讯报》上的填字谜游戏分散注意力，却发现哈罗德已经把简单的都做完了。她脑子里突然出现了一个可怕的念头：哈罗德躺在路上，张着嘴。终于发生了。总有些人心脏病发作后好几天才被人发现。又或者她最担心的事情成了现实，他果然遗传了他父亲的老年痴呆？老人家没活到六十就去了。莫琳一路小跑把车钥匙和开车的鞋子找了出来。

这时她又突然想到，哈罗德兴许是在和雷克斯聊天。他们或许是在讨论怎么除草，天气可好。真荒唐。她在前门换回鞋子，将车钥匙挂回原位。

莫琳轻轻走进那间多年来据说是最好的房间，但她每次进去都觉得要披一件羊毛开衫才够暖。曾经这里放着一张红布餐桌和四把软垫椅子，他们每天晚上都在这里吃饭，还会小酌一杯。但那已经是二十年前的事了。现在桌子早就没了，书架上塞满了没人看的相册。

“你在哪儿？”她喃喃地说道。窗前纱帘将她和外面的世界隔开，滤掉了外界的颜色和质地。她喜欢这样。夕阳开始西沉，街灯很快就会亮了。

电话响起，莫琳冲到走廊拿起电话：“哈罗德？”

一段长长的沉默。“莫琳，我是隔壁的雷克斯。”

她无助地看看周围。刚才冲过来的时候好像踩到了什么尖东西，一定是哈罗德又乱丢东西了。“没事吧，雷克斯？是不是又没有牛奶了？”

“哈罗德回家了吗？”

“哈罗德？”莫琳听到自己的声音突然升高了。如果不是和雷克斯在一起，那他去哪儿了？“当然，他已经回来了。”她的声音和平时一点都不像，压得扁扁的，好像很尊贵的样子，听起来就像她妈妈一样。

“我只是有点担心，因为没看到他回来。他说要去寄一封信。”

她的脑中闪过一幅幅可怕的画面：救护车，警察，她握着哈罗德了无生气的手。不知道这算不算傻，她的脑子像在排练一样，想象着最可怕的情况，好让自己届时不那么震惊。她又重复了一遍“哈罗德已经到家了”，不等雷克斯回答就挂了电话。之后她马上就后悔了，雷克斯已经七十四岁了，又孤零零的，他不过是一番好意。她刚想拨回去，手中的电话就响了。莫琳重新找回那个镇静的声音，对话筒说了一句：“雷克斯，晚上好。”

“是我。”

莫琳原本镇静的声音一下子升到天上去：“哈罗德？你到哪里去了？”

“我在B3196国道上，就在洛迪斯韦那家酒吧外面。”听起来他居然心情还不错。

从他们家门口到洛迪斯韦几乎有五英里远。这么说他不是心脏病发作，也不是倒在半路上忘了自己是谁。莫琳暗暗松了一口气，紧接着又升起一股更盛的怒意。但很快一种新的恐惧笼住了她："你没有喝酒吧？"

"就喝了杯柠檬水，感觉好极了。好多年没这么痛快过了。我还碰到个卖卫星天线的家伙，人挺好的。"他停了一停，好像要宣布什么重要新闻一样，"莫琳，我承诺自己要去贝里克了。走路过去。"

她觉得自己一定是听错了："走路？去特威德河那个贝里克郡？你？"

他好像觉得这很好笑，语无伦次地说："是啊！是啊！"

莫琳吞了一下口水，觉得双脚发软，连话都说不出来："让我先弄清楚。你走路过去，是为了看奎妮・轩尼斯？"

"我会走路过去，她会活下来。我会治好她的癌症。"

她的腿又软了一软，不得不伸出手去扶着墙壁："我不这么认为。你不可能治好别人的癌症，哈罗德，除非你是个医生。而且你连切个面包都会弄得一团糟。真是太荒谬了。"

哈罗德又笑了，好像她说的不是他，而是其他人。"我在加油站遇到一个小姑娘，是她启发了我。她坚信自己可以救回她阿姨，她阿姨果然就好了。她还教我怎么加热汉堡，里面还有小黄瓜呢。"

他一副势在必行的样子。莫琳慌了，开始冒汗：“哈罗德，你已经六十五岁了，平时走得最远也就是取取车而已。而且别忘了，你今天连手机都忘了带。”他试着反驳，但她一口气说了下去：“况且你晚上睡哪儿呢？”

“我不知道。”哈罗德笑不出来了，声音也越来越小，“但是一封信怎么够呢？拜托，莫琳，我真的要去。”

他是这样讨好，像孩子一样叫着她的名字，仿佛决定权在她手上。可是明明他已经下定决心了，真过分。莫琳怒从心起，说：“去吧去吧！你想去就去吧！我看你到达特姆尔——”电话突然出现一串断断续续的杂音，她拿着话筒的手不由得加大了力度，仿佛抓着的是哈罗德似的。“哈罗德？你还在酒吧里面吗？”

“不不，我在电话亭里。这里有股味道，我想可能有人——”电话到这里就断了。

莫琳摸索着到厅里，找到一把椅子坐下来。那振聋发聩的沉默比他打来之前更甚，好像要吞噬周围的一切。挂钟不走了，冰箱不响了，花园里的鸟儿也不叫了。她脑子里只回响着“哈罗德、汉堡、走路”几个词；紧接着又多了一个名字：奎妮·轩尼斯。这么多年过去了，那些久埋的回忆，开始在她身体里簌簌发抖。

莫琳就这样一个人坐着，坐了许久。直到夜幕降临，华灯初上，琥珀色的灯光映入夜空。

4

哈罗德与客店旅人

哈罗德·弗莱是个高大的男人，却一辈子弯着腰生活，像是随时防备着前方会突然出现一道低梁，或是别人投偏了的纸飞机似的。他出生那天，母亲看着怀里的襁褓，完全不知所措。她还年轻，有一张樱桃小嘴，早早就嫁了人，那人战前是个好丈夫，参军回来后却不是那么回事了。一个嗷嗷待哺的婴儿是她当时最不需要的负担。哈罗德小小年纪就学会了安身立命之道——保持低调，做个隐形人。他也和邻居的孩子们玩耍，至少是站在边上看着他们玩。读书时他努力融入背景，成了别人眼中不起眼的笨小孩。十六岁那年离家闯天下，他一直是一个人，直到有天晚上在舞厅里邂逅了莫琳，惊鸿一瞥，不可自拔。是酿酒厂把这对新婚夫妻带到了金斯布里奇。

他的工作是销售代表，一做就是四十五年，勤恳谦逊，独善其身，从来没盘算过升职加薪，独占鳌头。其他人或周游列国，或另谋高就，哈罗德从来没有这些念头。他既无朋友，也无敌人，退休时如他所愿，连告别会也没有举行。虽然行政部的一个小姑娘还是把销售部的人聚集起来说了几句话，但实在也没几个人和哈罗德熟稔的。有人不知从哪听说哈罗德是个有故事的人，不过也没人知道那个故事到底是什么。某个周五，他上完最后一天班就直接回家了，除了一本彩图大不列颠摩托旅游指南和一张买酒优惠券，再没有别的东西可以显示他在酿酒厂服务了一生。书被他放进了最好的房间，和其他没人愿意多看一眼的东西摆在一起。优惠券依然封在信封里——哈罗德是滴酒不沾的。

从睡梦中饿醒，哈罗德觉得床垫怪硬的，位置也不一样了。地毯上投下一道陌生的光。莫琳做了什么，怎么卧室的窗户到那头去了？什么时候换了小碎花的墙纸？这时他才想起自己是在洛迪斯韦以北的一个小旅店里。他要走路去贝里克郡，因为奎妮·轩尼斯不能死。

哈罗德自己也承认有些地方计划得不够周详。他没有走远路的鞋子，没有指南针，更没有地图和换洗的衣服，整件事考虑得最少的就是旅途本身。本来他就是走起来之后才意识到自己要做什么，别说细枝末节了，就连大致的计划都没有。德文郡的路他还知道一点，但出去之后呢？反正一直往北走就是了。

他拍拍枕头，坐了起来。左肩感觉有点酸，但精神还不错，这些年来睡得最好的就是这一晚了，平日里午夜梦回看到的画面一幕都没有出现。床单的花纹和窗帘正好是一套，一旁的松木衣橱看起来很有些年头了，底下放着他的帆船鞋。远一点的角落里有面镜子，镜子下面是洗手盆，还有一把蓝色天鹅绒面椅子，颜色都褪得差不多了，他的衬衫、领带、裤子叠得服服帖帖，整整齐齐地放在上面。

不知怎么，哈罗德突然想起了儿时的家，母亲的裙子总是扔得到处都是。他瞥向窗外，想想点别的东西。奎妮知不知道他正在走路去看她？也许她现在正在想这件事呢。

给疗养院打完电话，他继续顺着B3196国道往前走。高高低低，兜兜转转，他只是跟着心里明确的方向，走过农田、房屋、树木，穿过埃文河上的小桥，不知道与多少车辆擦身而过。所有这些东西对他来说都无足轻重，只是他和贝里克郡之间的距离而已。每走一段时间，他就会停下来喘口气，擦擦汗，整整脚上的帆船鞋。到洛迪斯韦时他停下来想找口水喝，就是在那里遇见了卖卫星天线的人。小伙子听到哈罗德的大计划后结结实实吃了一惊，一个劲拍着他的后背让酒吧里所有人安静下来好好听一听；当哈罗德说出那最简单不过的计划（“我会一路往北走，一直走到贝里克郡为止”）时，小伙子大吼一声：“好样的，伙计！”就是这句话让哈罗德冲到电话亭里给莫琳打了电话。

他真希望莫琳也会这样对他说。

“我不这么认为。”有时候他还没开口，莫琳就已经用这几个字把他的话硬生生给挡了回去。

和莫琳通话后，他的脚步变沉了。其实没法怪莫琳，但他仍然期望她的反应可以有所不同。走着走着，他来到一家小旅店门口，店前的棕榈树都被海风吹得朝同一个方向倾斜。哈罗德要了一间房。他早已习惯一个人睡，但住旅店毕竟是桩新鲜事，要知道在酿酒厂时每天天没黑就已经到家了。刚挨到枕头，哈罗德就沉沉地睡着了。

靠着柔软的床头板，他弯起左膝，握住脚踝，然后又伸直腿，尽量保持平衡。他戴上老花镜仔细查看左脚，脚趾柔软粉嫩，指甲边缘和中间的关节有点疼，脚跟上起了个水泡，也许是走路时磨的。考虑到自己的年龄和长久疏于锻炼的身体，哈罗德还是颇为自豪的。他又在右脚上作了同样的实验，并细细检查了右脚的情况。

“还不坏嘛。”他自语道。

贴几张胶布，好好吃一顿早餐，他就可以上路了。哈罗德想象着护士告诉奎妮他正在走路赶过来，她要做的就是好好活着。她的脸好像就在他面前：漆黑的眼睛，小巧的嘴唇，乌黑的卷发，如此真切。他都纳闷自己怎么还在床上，必须到贝里克去。哈罗德一翻身，下床站起来。

只觉腿狠狠一抽，痛楚像电流一样穿过他整个右侧躯干。哈罗德试着抬起腿躺回床上，却痛得更厉害了。这种时候怎么办？伸直脚面？收紧脚趾？他蹒跚着爬下床，咬着牙从地毯这头跳到那头。莫琳是对的：他能挨到达特姆尔就算不错了。

靠着窗台，哈罗德凝视着楼下的马路。正是高峰期，向金斯布里奇方向的车流量明显增大了。他想着此时在福斯桥路13号弄早餐的妻子，犹豫着是不是该回家一趟，既可以拿手机，又可以收拾一些行李，还可以上网查一下地图，订一些上路需要的物资。或许退休时送的那本旅游指南终于可以派上一些用场，但一开始计划就要花上许多时间考虑和等待，而现在最宝贵的就是时间了。况且莫琳一定不会讳言他一直努力回避的现实。期待从她那儿得到协助和温情鼓励的日子早就一去不复返了。此刻窗外的蓝天澄澈透明，仿佛一碰即碎，几缕白云缠绕其间，金色的阳光暖暖地洒向地面；沐浴其中的枝叶随微风摇晃，好像在鼓动他继续向前。

他知道如果现在回家，哪怕只是找出地图查看一下，就永远不可能成行。所以他洗漱一下，穿戴整齐，就循着早餐培根的香味出门了。

哈罗德在餐厅门外徘徊，希望里面空无一人。他和莫琳可以在一个房间内连续几个小时不说话，但她的存在就像一面墙一样，即使不看，你也知道她一直在那儿。终于他伸手握住门把——在酿酒厂做了这么多年还是害怕面对一屋子陌生人，他真为自己汗颜。

一推开门，就有六道目光向他看过来。其中有一对抱着孩子的年轻夫妇，穿着节日盛装；两位坐姿端庄的中年女士，全身上下都是灰色；还有一个皱着眉头的生意人，手里举着一份报纸。剩下两张空桌子，一张在大厅正中间，另一张远远地挤在角落，旁边是一盆蕨类植物。哈罗德轻轻咳了一声。

“早呀您哪——”他一开口，自己也不明白了：其实他一点爱尔兰血统也没有。那听起来更像他以前的老板纳比尔先生会说的话。其实纳比尔先生也没有爱尔兰血统，他只是喜欢开玩笑而已。

众人附和了一下就都埋首回到自己的事情里。哈罗德觉得这样站着实在是太突兀了，但没有人邀请就随便坐下又好像很粗鲁。

一个穿黑色衣裙的女孩冲过标着“厨房重地，闲人免进”的弹簧门进到大厅里。她有一头红褐色的头发，像许多女人一样不知道用什么方法高高吹起。莫琳从来不热衷于吹头发。她会小声埋怨“哪有时间做什么发型”，好像那是哈罗德的错似的。女孩把水煮蛋放到两位苗条女士的桌上，回头问道：“来一份全套早餐吗，弗莱先生？”

带着一阵羞愧，哈罗德突然想起来了。这是前一天晚上带他去房间的那个女孩，又疲倦又兴奋的他还告诉她自己要走路到贝里克去。他真希望她什么都忘了。他试着回答：“好的，谢谢。”但他连直视她都做不到，那句“好的，谢谢”也几乎轻不可闻。

她指指大厅正中，正是哈罗德不想坐的那张桌子。他一步一步挪向那张桌子，突然意识到从下楼梯时就一直闻到的那股刺鼻气味正是从自己身上发出的。他真想冲回房间再洗漱一次，但这样太没礼貌了，尤其眼下她已经请他坐下，而他也乖乖地坐好了。

“要茶还是咖啡？”她问。

“好的，谢谢。”

“两样都要吗？”她非常耐心地说。现在他又多了一样东西要担忧：即使她没有闻到他身上的味道，即使她已经不记得他昨晚说的话，她也可能觉得他已经很老了。

“来一杯茶就好了。”哈罗德说。

她点点头，一阵风似的消失在弹簧门后，哈罗德终于松了一口气。餐厅又安静下来。他调整一下领带，然后把手放在大腿上。如果他不动，兴许这一切都会消失。

穿灰衣的两位女士开始谈论天气，但哈罗德并不确定她们是在对彼此还是对其他顾客说话。他不想表现得冷淡无理，但又怕她们觉得自己在偷听她们的对话，于是尽量装作很忙的样子，一会儿研究桌上“请勿吸烟”的牌子，一会儿又读着墙上的标语“敬请各位顾客勿在餐厅接听电话”，心中奇怪过去到底发生了什么事情，让这里的老板这么多忌讳。

侍应女孩再次出现，手里拿着茶壶和牛奶。他让她倒了杯茶。

“这个天气，出行正好。”她说。

她果然记得。哈罗德呷一口茶，烫到了嘴。女孩在他身边忙忙碌碌。

“您经常做这种事吗？”她问。

哈罗德注意到屋子里充满着一种令人紧张的沉默，放大了她的声音。他轻轻瞥一眼其他顾客，所有人都静止不动，连角落里的植物也好像凝住了气息。哈罗德摇了摇头，避免接触她的目光。

“有趣的是，”她接着说下去，“我一直也很想这样试一试，但从来没有成功开始过。太多东西要做了，总是要先完成其他事情再说。这种事情对男人来说当然更容易，因为男人会更加一条筋。我没有冒犯到您吧，先生？”

哈罗德的脸烧得通红，仿佛灼伤了一样。他想安慰她说自己没有觉得被冒犯，但是又希望她不要再提起他的计划，她把这件事说得太大胆、太神秘了，周围每个人都在听着，猜测她说的到底是什么事。从小他就害怕成为众人关注的焦点，从小他就习惯像影子一样悄无声息地生活，他甚至可以在母亲毫不察觉的情况下久久地观察母亲，看她涂口红，看她怔怔地盯着旅游杂志。

那女孩还不打算停下：“你是好样的。我真这么觉得。如果我们都不趁着现在偶尔疯狂一下，日子就没什么盼头了。”她轻轻拍一下他的肩，又回到那扇禁止闯入的弹簧门后面。

哈罗德又一次觉得自己无可奈何地成了焦点，连拿起茶杯都变成了一个刻意的动作，还咣当一声撞上了碟子，着实把自己吓了一大跳。那气味，如果有任何改变的话，只能是更难闻了。他责怪自己前一晚没有把袜子放到水龙头下冲一冲，如果是莫琳就一定会这样做。

“那您这个神秘的计划，到底是什么呢？”坐在角落里的男人突然问。他穿着一件短袖夏威夷衬衫，胸前、臂上都卷着浓黑的体毛。他大大咧咧地仰躺在椅子上，两条腿蹬着地面，椅子只留两条后腿着地，颤颤巍巍地晃着，正是莫琳最见不得戴维做的动作。那男人保持平衡的同时，还张开两手环着自己的妻儿。

现在哈罗德不得不作出解释了。如果他把这个计划说足够多次的话，说不定真的可以渐渐变成能把这件事做成的人。

“我要走路，”哈罗德回答，“走路去贝里克郡。”餐厅里所有的人再一次集体回头，将目光聚焦在他身上。

“特威德河那个贝里克郡？”夏威夷衬衫男问，脸上浮起一个无声的笑——看起来其实更像是张了张嘴——并且环视大厅，好像在邀请其他人加入，“但那可是最北的地方，横跨整个英格兰呀。都要到苏格兰去了。一定有——多远呢——几乎有五百英里那么远吧？”

哈罗德完全不清楚。他还不敢去弄清楚这个问题。“是吧，”他说，“但如果要绕过M5号高速的话，可能还不止。”他伸手去拿茶杯，却举不起来。

“您是说认真的吗？”衬衫男笑着问。

“我是昨天开始走的。”

“要走多久？”

“恐怕我也不知道。”

衬衫男瞟了生意人一眼，两人目光相遇，嘴角同时翘起来，咧成一个笑脸。哈罗德情愿自己没有去注意，但偏偏又看到了。他们当然是对的。

“这么说，这位先生是位徒步旅行者喽？”衬衫男的妻子突然说。她的卷发柔柔地抱着脸，看起来挺和善的。“亲爱的，他知道自己在做什么。他肯定一直有训练。现在好多人都这样，你看到处都有人慢跑。”

生意人折起报纸向前倾，等着哈罗德回应。哈罗德不知道自己该不该撒谎，但内心深处他明白不应该。

“我不是什么徒步旅行者。这个决定有点突然。我是为了别人才这么做的，她得了癌症。”

所有人都死死地盯着他，好像他说的是外语。

“你是说带宗教性质的徒步吗？”穿灰衣的女士终于开口了，“像朝圣一样？”她转头面向另一个灰衣女士。那女士轻轻唱了一句：“他就像武士一样英勇。”她的歌声高扬纯净，透着坚定，瘦削的脸也红润起来。哈罗德又一次犹豫起来，这是唱给她的女伴还是唱给所有人听的呢？不过反正打扰这歌声应该是不妥的。女士唱完后又沉默下来，脸上带着微笑。哈罗德也笑了，但这是因为他完全不知道接下来该说什么。

“她知道您的计划吧？”夏威夷衬衫男突然问道。

“我在电话里留了一个口讯，还寄了一封信。”

“就这样？”

“没有时间做别的了。”

生意人用他那讽刺的眼神盯着哈罗德，很明显已经把他看穿了。

“你信佛吗？还是信别的什么？”衬衫男又问。

他妻子在椅子上动了一下，挂着笑脸，想悄悄叫丈夫别再说了。

“我不是说信佛有什么不好，”他接着说，“我只是觉得这听起来像是他们干的事。你也见过他们在牛津街上走，他们一天到晚就是做这个。”

“有两个年轻人是从印度赶来参加的，”没唱歌的灰衣女士说，“1968年的和平游行，他们聚集在四个有核力量的国家，呼吁他们的国家元首在按下红色按钮那一刻应该先停下来，喝杯茶，再三思一下。”她的同伴欢快地点头附和。

“我们好像还从来没亲眼见过朝圣者呢。”那个友善的太太说。

厅里又热又闷，哈罗德真想透透气。他抚一抚领带，想坐得有风度一点，却觉得怎么都不对劲。“你就是太高了。”他的梅阿姨曾经这样说过他，好像长得高和水龙头漏水一样，是一件可以修理和矫正的事情。哈罗德真希望自己没有和这些顾客讨论他的计划，更希望他们刚才没提过宗教的话题。他并不反对别人信奉上帝，但对他来讲，宗教信仰就像是一个和他格格不入的世界，里面所有人都有一套相同的宗旨规则，唯独他没有。曾经他也有过需要信仰的时候，但宗教并没有帮到他什么。而现在，这两位好心的灰衣女士却在说什么佛教徒、世界和平，这其实跟他一点关系也没有，他不过是个退休老人，收到了一封信，为了一个愿望而上路，如此而已。

他开口了：“我和我朋友很久以前在一家酿酒厂工作，我的职责是确保那些小酒馆经营得当，她在财务部。有时候我们都要去酒馆办事，我就顺带捎她一程。”他觉得心跳得越来越快，几乎要蹦出来了，“她曾经帮过我一个忙，现在她患了重病，我不能让她就这样死掉。我要帮她继续活下去。”

这番赤裸裸的坦白把他自己吓到了，好像脱光了衣服站在众人面前。他低下头，餐厅又一次陷入沉默。既然提起了奎妮，哈罗德真想继续回味一下过往，但又实在没法忽略周围或好奇或怀疑的目光。终于那些零星的回忆片段逐渐消逝，一如奎妮多年前悄然退出他的生活。他还隐约记得自己站在奎妮空空的座位前，良久无法相信她已离开，再也不会回来。哈罗德觉得自己一点都不饿了，他正打算出去呼吸一下新鲜空气，女侍应又风一般从厨房里蹿出来，手里端着一份满满的全套早餐。他尽了自己最大的努力，却还是吃不下太多，于是将培根片和香肠切成小小的碎块排成一排，藏在刀子和叉子下面（戴维从前也是这样做的），然后起身离开。

回到房间，哈罗德试着学莫琳把床单和被子铺得平平整整，就像要抹掉自己在这里躺过的痕迹。接着他到洗手盆那里将头发弄湿，拨到一边，又用手指将牙缝清干净。镜中人脸上可以找到不少他父亲的痕迹，除了那双一模一样的蓝眼睛，和同样微微突出的下唇，好像嘴里总是含着什么东西，还有那宽宽的，原来覆着刘海的额角。他凑近一点，试图找到一丝母亲的影子，但除了身高，他们实在没有什么别的相似之处。

哈罗德已经是个老人家了，别说是朝圣者了，他平时连路都不多走几步，还能骗谁呢？他的成年，都是坐在小小的办公间里度过的，松弛的皮肤皱巴巴地挂在身上。想想自己和奎妮之间路途迢迢，又想起莫琳说的他走过的最远距离不过是从家门口到车里，还有夏威夷衬衫男的讪笑、生意人的怀疑。他们是对的。他对运动、对地图、对郊外，都一窍不通。他应该乖乖拿出零钱坐公车回家。哈罗德轻手轻脚地关上门，感觉自己像是对一些还没有机会开始的东西道别了。他慢慢走下楼，留意着自己的脚步，鞋子踩在厚厚的地毯上，一点声息都没有。

哈罗德正将钱包换到后面的裤袋里，餐厅门一下子打开，从里面走出刚才那个侍应，后面紧跟着那两位穿着灰衣、脸颊泛红的女士和生意人。

“我们还担心您已经走了呢。”侍应理理自己的一头红发，轻轻喘着气。

“我们想说，一路顺利！”唱歌的那位女士突然开口。

“我真心希望您能成功。”她的朋友接着说。

生意人将一张名片硬塞进哈罗德的手心：“如果你经过赫克萨姆，记得来找我。”

他们都相信他。他们都看见了他的帆船鞋，听过了他说的话，却用心说服了理性，选择忽略一切证据，去期待一种比不言自明的现实更大、更疯狂，也更美好的可能性。哈罗德想到自己一刻钟前的犹豫，自愧不如。“你们太好了。”他轻轻呢喃，逐个握过他们的手，谢谢他们。那个小侍应还凑到他耳边，隔着空气轻轻亲了一下。

兴许哈罗德转身的一刻，生意人笑了一下，甚至做了个鬼脸，也可能餐厅里有人正忍着嗤嗤的笑声，但他都不介意了。他是如此感激，即使听到了，他也会和他们一起笑。“那我们就在赫克萨姆见啦。”他答应着，一转身，大步流星地走向外面的马路。

泛着银光的大海在身后铺展开来，眼前是通向贝里克郡的康庄大道与另一片海洋。旅途终于开始了，就从这一步开始，他的目的地历历在望。

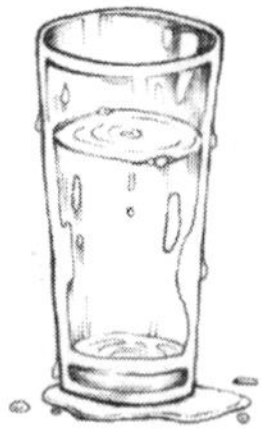

5

哈罗德、酒保与没有孩子的女人

真是一个明媚的春日。空气甜而柔软，蓝天高而澄澈。哈罗德发誓他上次透过窗帘观察室外的时候，福斯桥路的乔木、树篱还像一堆暗沉沉的骨头和纺锤指向天际；但如今站在这里，他无论看向哪儿，那草地、那花园、那树、那篱笆，都散发着藏不住的生机。新发的枝叶蓊郁厚重，覆在树顶聚成一片华盖。一云云黄色连翘，一道道紫色南庭雾，都叫人惊诧不已。嫩绿的杨柳风中微摆，流光溢彩。第一批马铃薯芽冒出了头，矮矮的醋栗丛上挂满细小的苞蕾，就像莫琳戴过的耳环。充盈丰盛的新生命一下子把哈罗德弄得眼花缭乱。

旅店已抛在身后，零星的车辆从身边呼啸而过，哈罗德突然意识到自己有多渺小，孤零零一个人，连手机都没有带。如果不小心摔倒，如果有人袭击他，谁会听见他呼救？一声树枝的断裂声让他一惊，紧走几步回头一看，才发现是树上一只差点失去平衡的白鸽，而心脏犹兀自急促地跳个不停。过了一会儿，他定下心来，才找回一丝把握。英格兰的土地在脚下铺展开，那种自由自在，探求未知的感觉振奋人心，让他忍不住漾起一丝笑意，但觉苍茫世界我独行，再没有什么可以阻止他，让他回到小花园里除草去。

简直难以置信，他真的要走路去贝里克郡了。

树篱那头，草地延伸开去。一丛矮矮的灌木被长年累月的风吹得歪向一边，像一些男人的鸡冠头一样。哈罗德想起自己少年时也有一头浓密的头发，他每天都要用发胶将这撮头发高高立起。

接下来就要往北，朝南布伦特方向进发，晚上也许随便找家小旅馆应付过去。然后沿着A38国道走到埃克赛特，不记得到底有多远了，但从前慢慢开车的话大概要开上一小时二十分钟。哈罗德继续顺着小道走，一旁的树篱又高又密，将小道弄得像战壕一样。身边的汽车呼啸而过，哈罗德惊讶地发现，原来不坐在车上才能意识到这些车跑得有多快。他脱掉身上的防水外套，叠起来拿在手里。

这段路他和奎妮开车不知道走过多少回了，路旁的风景却还是一点都没记住。一定是脑子里塞满了那天的日程，总想着一定要准时到目的地，总以为前头最多不过又是一片绿地，靠着一座貌不惊人的山做背景。但真真正正地走过一遍后，他发现原来完全不是那么一回事。田埂间的土地高低起伏，被划分成一个个方块，周边围着高高低低的树篱。他忍不住驻足遥望，自觉惭愧：深深浅浅的绿，原来可以有这么多种变化，有些深得像黑色的天鹅绒，有些又浅得几乎成了黄色。远处，阳光捕捉到了一辆经过的汽车或是一扇窗户，因为有个亮点远远地穿过层叠的丘陵映入眼帘，如一道忽明忽灭的星光。从前怎么没注意到这些呢？几近苍白的不知名小花，带着一抹浅紫淡黄，簇拥在树篱脚下。不知道那些年，副驾驶座上的奎妮可曾透过窗口看到这一切。

“车里闻着有股甜味，”莫琳有次深深嗅着车里的空气说道，“紫罗兰的香味。”从此哈罗德晚上开车回家总是开着窗户，解决了这个问题。

到了贝里克郡一定要买束花。他想象着自己大步流星走进疗养院，奎妮坐在洒满阳光的窗台边上，等着他出现；护理人员通通停下手上的工作注视他走过，所有病人会鼓掌甚至欢呼起来，因为他走了那么长的一段路；而奎妮接过他手上的花时，一定会以她特有的方式安静地笑出来。

莫琳从前会在裙子扣眼里插一簇小花或一片秋天的黄叶，那时他们肯定才刚结婚。如果裙子没有纽扣，她就会将小花穿过头发，让花瓣落在秀发之间，几乎有点可笑。他已经好多年没想起这个画面了。

一辆车突然减速停下来，逼得哈罗德把身体贴向了一旁的荨麻丛。车窗摇下来，里面传出震耳欲聋的音乐声，却看不清车上人的长相。“老爷爷，去看你的女朋友吗？”哈罗德竖起大拇指，等这群陌生人离开。被荨麻刺过的地方火辣辣的。

一步又一步，继续走下去。当他接受了这种缓慢的前进，反而开始惊讶自己走了多远。视野尽头只是淡如水的一抹蓝，有屋子，有树，但有时天和地的边缘渐渐消融，仿佛相互渗入了对方，成为不可分割的一部分。他经过两辆僵持着的货车，两个司机在争吵到底谁应该退后把路让出来。他身体的每一寸都在呼唤食物，一想起自己没吃的那份早餐，胃就狠狠扭动起来。

在加利福尼亚十字路口的小酒馆，哈罗德从篮子里拿了两个即食芝士三明治，停下来提早吃了一顿午餐。三个鬼一样的男人身上积着厚厚的灰尘，讨论着他们正在翻新的一幢房子。零星几个喝酒的人抬头看了他一眼，但这里并不是他常混的地方，幸好他也不认识那些人。他将午餐和柠檬汁端到外面的露天茶座，眨着眼适应突如其来的强光。他举起杯子，口腔里满是渴望美食的唾液。一口咬下三明治，芝士的丰盈和面包的甜美一下在味蕾上爆发，仿佛这辈子从来没有吃过东西一样。

小时候他努力练习吃东西时不发出声音。父亲不喜欢他吃东西的声音。有时他什么都不会说，只是捂起耳朵、闭上双眼，仿佛孩子是他的眼中钉；其他时候他会直接说哈罗德是个肮脏的小乞丐。“只有乞丐才能认出自己的同类呢。”母亲听到了就会边拧烟卷边回答。爸爸是精神太紧张了，他听一个邻居说过。战争会把人变得十分滑稽。有些时候，还是个小男孩的他会有触摸父亲的愿望，想站在他身旁，体会被一个大人双臂环绕的感觉是什么样的。他也曾经犹豫着问爸爸自己出生前发生了什么事，为什么爸爸将手伸向杯子时，那手总是颤抖着的。

“那孩子又在盯着我。”父亲有时会这样说。母亲就会拍一拍他的小手，力度不重，仿佛在挥一只苍蝇，说：“去去，小家伙。到外边玩去。”

还记得这些事情。这让他吃了一惊。也许是这一路走出来的。也许当你走出车门真真切切用双腿走路的时候，绵延不绝的土地并不是你能看到的唯一事物。

太阳仿佛在哈罗德的头上、手上洒下一层温暖的液体，他将鞋子、袜子都脱了，细细观察自己藏在桌子底下的双脚。指头是湿的，红得像火，鞋子一碰脚后跟上的皮肤就像烧起来一样，水泡涨得鼓鼓的。他将双脚放在柔软的草地上，闭上眼睛，十分疲累，但心底清楚绝对不能睡着。一旦停下来太久，就很难继续了。

“趁还有机会多享受一下。”

哈罗德转过身，害怕会碰上认识的人。只有一个酒保的身影，和太阳的影子重叠了一部分。那酒保大概和哈罗德一样高，但是更壮实，穿一件橄榄球衫，一条垮垮的短裤，还有莫琳口中“像康沃尔的馅饼一样”的凉鞋。哈罗德飞快地把脚放回帆船鞋里。

“别理我。”店主人没动，只是大声地说了一句。根据哈罗德的经验，即使周围其实一片沉默，这些酒馆老板也老觉得自己有义务提示有人正说着话，真的非常好笑。“这么好的天气，让人忍不住想干点什么。拿我老婆来说，太阳一出来，她就会把橱柜都清理一遍。”

莫琳好像一年到头都在搞卫生。屋子又不会自己搞卫生，她会这样喃喃自语。有时候才刚清理过的东西，她又再擦洗一遍，让人感觉他们并不是真的住在这幢房子里，而只是短期借住的过客。但他没有这么说出来，他只是在心里这么想了一下。

“你很面生，”老板说，“来这里玩的？”

哈罗德解释自己只是路过。他说他六个月前从酿酒厂退休了，还是老日子比较适合自己，那时销售员天天一早就开车出去，也没有那么多高科技。

“那你一定认识纳比尔喽？”

这问题让哈罗德吃了一惊。他清清喉咙，说纳比尔从前是他们老板，直到五年前那场车祸夺走了他的生命。

“我知道不该说死者的坏话，”酒馆老板说道，“但他真是个混账。有一次我看到他把一个人打得半死，我们好不容易才把他拉开。”

最好不要继续讨论纳比尔了。哈罗德转而开始解释自己怎样在收到奎妮的信后突然决定出发，然后发现自己根本没有足够的准备。在酒馆老板开口发问前，他就老老实实地坦白了自己没有手机，没有登山靴，也没有地图。他自己也知道这样听上去很荒唐。

“现在不怎么听到这个名字了——奎妮。”酒馆老板说，“是个老名字了。”

哈罗德表示同意，说她的确算是个很传统的人。非常安静，总是穿一身棕色羊毛套装，即使在大夏天也是一样。

酒馆老板双手交叉叠于胸前，正好放在软软的肚腩上，腿叉得老开，仿佛摆好了长篇大论的阵势。哈罗德暗暗祈祷他不是要强调德文郡和贝里克郡的距离。“我以前认识一个女孩，非常可爱的一个女孩，住在汤布里其。我亲过的第一个女孩，还有一些其他第一次，你懂的。那女孩会为我做任何事情，但我当时就是不明白，净忙着出人头地了。一直到好多年以后，收到她的喜帖，才反应过来那个娶到她的家伙有多幸运。”

哈罗德觉得自己应该说明他对奎妮并不是那种情感，但现在打断别人又太莽撞了。

“我彻底垮了下来，开始喝酒，还惹了大麻烦，如果你明白的话。”

哈罗德点点头。

“最后在监狱待了六年。我老婆老取笑我。但近来我会做做手艺活，其实就是餐桌装饰，从网上买些小篮子、小玩意什么的。事实上，”说到这里他用手来回搓弄自己一边的耳朵，“我们都有过去，都有遗憾，希望有些事情当时做了或者没做。祝你好运，我希望你能找到你的那位女士。”他将手放到眼前，皱着眉头仔细研究起来，“顺利的话，兴许今天下午你就能到了。”

没什么必要更正他的话了。你不能指望每个人都能弄懂这趟旅程的本质，或者是贝里克郡到底有多远。哈罗德道了谢，重新上路。他想起奎妮原来会在手提包里放一个小笔记本，记录他们走过的确切里程。她天生不会撒谎，至少不会蓄意撒谎。一丝罪恶感驱使他继续往前。

到下午，脚上的水泡更疼了，他发现了一个把脚趾大力往前挤，避免鞋后跟狠狠蹭到脚踝的方法。脑子里既没想奎妮，也没想莫琳，他甚至没有去看身边的树篱、经过的车子和远处的地平线。他已经变成一句话：“你不会死的。”这句话就是他迈出的每一步，只是有时句子语序会错掉。他突然意识到是自己的脑子在兀自唱着“死、你、不会”或“不会、你、死”，甚至只是“不会、不会、不会”。头顶上和奎妮分享着同一片天空，他越来越相信奎妮已经知道他正在赶过去的路上，她一定在等他。他知道自己一定能到达贝里克，他所要做的只是不停地把一只脚迈到另一只脚前面。这种简单令人高兴。只要一直往前，当然一定能抵达的。

周围一片寂静，只有来往车辆擦过树叶的沙沙声不时响起，几乎叫他以为又回到了海边。哈罗德突然发现自己已经深深陷入了变戏法一般纷纷浮现出来的回忆。

戴维六岁的时候，他们一起到班特姆玩，戴维越游越远。莫琳拼命叫着：“戴维！回来！你给我马上回来！”但是她越喊，小家伙的身影就越小。哈罗德跟着莫琳来到水边，停下来解开鞋带，正要把鞋脱下来，突然冲出一个海上巡逻员，边跑边脱掉身上的T恤衫并随即想起往后一丢。小伙子猛地一冲，一下就到了齐腰深的水里，一头扎进去，穿过起伏的海浪，直到一把抓住戴维，将他环在臂弯里游回岸边。戴维的肋骨都鼓了出来，一排排像手指一样，嘴唇都紫了。“他算幸运了，”巡逻员对莫琳而非哈罗德说道，哈罗德往后退了一两步，“刚才外面的水流很急。”他脚上的白色帆布鞋湿淋淋的，在阳光下闪着光。

莫琳从来不说，但哈罗德知道她在想什么，他自己也在想同一个问题：为什么当唯一的儿子溺水的时候，他还停下来解鞋带？

多年以后，他问戴维：“在海滩那天为什么不停下来？你没听到我们在叫你吗？”

戴维那时候肯定还只有十几岁，他淡定地看着父亲，用他那美丽的、一半孩子气一半大人的棕色眼睛，耸耸肩说道：“我也不知道。反正已经出大麻烦了，就这么待着好像比回来还容易一点。”接着哈罗德叫他最好不要骂脏话，特别是妈妈在的时候，戴维好像回了一句“走开”。

哈罗德奇怪自己怎么会想起这些事情。他唯一的儿子，冲到海里寻求解脱，然后在多年以后叫他走开。记忆中的画面全部都回来了，拼凑在一起：海面上闪烁的光点，戴维盯着他的那种强烈眼神。他当时是害怕了，这是事实。解鞋带，是因为他害怕用光所有借口以后，他最终还是没法成功把孩子救回来。更重要的是，他们全都知道这一点。哈罗德，莫琳，那个巡逻员，甚至戴维自己。哈罗德逼着自己继续往前迈步。

他害怕还会有更多回忆出现——那些在许多个晚上充满了他的头脑，让他无法入睡的画面。许多年后莫琳还在怪他，好几次说他几乎由着他们的孩子在海里溺死。他努力将注意力拉回到现实中来。

小路在茂密的树篱间延伸，阳光从枝叶的缝隙间漏进来。新芽冒出了头，远处有个钟楼响了三下。时间在流逝，他的脚步更快了。

哈罗德意识到嘴里的干涸，很快口腔就像被砂纸磨过一样。他试着不去想水，但一瓶水的画面一旦出现，他就接连想到了冰凉的液体在口腔内流动的感觉，身体越发因为这种渴望而无力起来，仿佛血液都流得更慢了，身体内部正在慢慢融成一片。他小心翼翼地走着，努力保持着平衡。有几辆经过的车子见状将速度慢了下来，但他挥挥手让他们继续，不想他们过多地关注。呼进的每一口空气都仿佛长了角，生生划过他的胸腔。没有别的选择了，他只好在前面最近的房子门口停下来，紧紧抓住铁门，希望这家人没有养狗。

房子的砖是灰色的，还很新，常青植物筑起的树篱像墙一样厚实，郁金香整齐地排在一列列花床上，一点杂草都没有。一旁晾着几件宽大的衬衫、裤子，还有女人的短裙和胸衣。他别过头，不想看到不该看的东西。少年时他常常盯着阿姨的胸衣、胸罩、衬裤和长袜看，那时他第一次发现女性的世界里藏着自己很想了解的秘密。他伸手按下门铃，整个人靠在墙上。

应门的女人看到他，脸一沉。他很想告诉她别担心，但身体已经不听使唤，连舌头都抬不起来了。她赶紧跑着给他端来一杯水，他接杯子的手都是颤抖的。冰凉的水滑过牙齿、牙床、上颌，冲进喉咙里。他几乎舒服得叹出声来。

“你确定你没事吗？”当她端来的第二杯水被他一饮而尽后，她问道。这是一个胖胖的女人，穿一条皱皱的裙子，屁股一看就是生过孩子的——莫琳会这么评价。她的脸看起来饱经风霜，皮肤好像挂在骨头上面一样。“你要不要休息一下？”

哈罗德表示自己没什么事。他太想回到路上了，也不愿意贸然打扰一个陌生人，况且他觉得自己这样寻求帮助已经打破了英国人的一条不成文的规定，再进一步就会把他和一些萍水相逢的、未知的东西连接起来。短短几句对话间，他努力平复自己急促的呼吸，安慰她自己刚开始一段长途旅行，只是状态可能还未调整过来而已。他希望对方听到这里会笑一下，但她看起来一点都不觉得这事好笑。他已经好久没能把女人逗笑了。

“等一下，”她说完后又一次隐入静止的屋子里，回来时手中多了两把折叠椅。哈罗德帮她打开椅子，又重复说了一遍他应该继续赶路了，但她重重往椅子上一坐，仿佛她也刚跋涉过一段很远的路程，还坚持让他也坐下来。“就坐一小会儿嘛，”她说，“对我们两个都有好处。”

哈罗德弓身坐到她旁边的椅子上，一阵沉重的感觉蔓延过来，没挣扎一会儿，他就闭上了眼睛。阳光透过眼皮，他微微看到一片红光，鸟儿的歌声、汽车经过的马达声既在他体内回响，又似乎很遥远很遥远。哈罗德醒过来时，她已经在他膝盖上放了张小桌子，摆上一碟面包和黄油，还有几片苹果。她伸手指指碟子，示意他不要客气：“来，随便吃。”

虽然之前没有意识到饥饿，但他的肚子在看到苹果的第一眼后好像整个被放空了。拒绝的话就太粗鲁了，毕竟她不计麻烦准备了这么多。他贪婪地吃着，一边道着歉，一边又实在慢不下来。女人笑吟吟地看着他，手中一直把玩着一块苹果，不断地在手指尖摆弄，仿佛那是她无意中捡到的什么有趣的东西。“你还以为走路是世上最简单的事情呢？”她终于开口了，“只不过是把一只脚放到另一只脚前面。但我一直很惊讶这些原本是本能的事情实际上做起来有多困难。”

她用舌头湿润了一下嘴唇，还要说下去。“而吃，”她说，“吃也是一样的，有些人吃起东西来可困难了。说话也是，还有爱。这些东西都可以很难。”她的眼睛看着花园，而不是哈罗德。

“还有睡觉。”哈罗德接上。

她回过头来：“你睡不着？”

“有时候。”他伸手再拿一块苹果。

又沉默了一下。然后她说：“孩子。”

“什么？”

“孩子也一样。”

他又瞟一眼晾衣服的绳子，还有一丝不苟的花床。他能感觉到一个年轻生命的缺席，这种空洞嗡嗡地回响。

“你有孩子吗？”她问。

“有一个。”

她点点头，用手掌根擦了擦脸。

“我真遗憾。”哈罗德说。他对她的悲伤感同身受。

“没关系。都是一样的。”

哈罗德想起了戴维，但要解释起来实在太复杂了。他看到蹒跚学步的戴维，小小的脸在阳光下渐渐晒黑，像熟了的坚果。他想形容他胖胖的膝盖上小小的窝窝，还有他穿上第一双鞋走路的样子，他总是低头去看，仿佛不确定它们是不是还挂在脚上。他还想起他躺在婴儿床里的样子，十只手指小得惊人，安然地放在羊毛薄毯上，看起来那么完美，叫人看着就会担心，是不是你一碰，这小小的手指就会融化掉。

莫琳身上的母性来得太自然了，仿佛一直以来都有另外一个女人在她身体里等着，随时准备出现。她知道怎么摇晃身体能让怀里的宝宝安然入睡，怎样发出柔软的声音，怎样弯起手臂托起孩子的头，知道洗澡水应该放多热，知道他什么时候想睡觉，还有怎么织那些蓝色的小小羊毛袜。他从来不知道她会这些，只能惊叹地看着她，像个心悦诚服的观众。这既让他更爱她，又将她的地位提升了，正当他以为他们的婚姻会更牢固，机会又一闪而过了，剩下两人待在不同的位置上。他试过仔细凝视小小的儿子，用一种肃穆的方式，却被恐惧击中了。他饿了怎么办？不开心怎么办？如果他在学校里被其他男孩欺负怎么办？要保护他实在需要防备太多东西了，哈罗德一下子觉得难以应付。他纳闷其他男人会不会也觉得初为人父的责任有点让人畏惧，还是只有他自己有这种不正确的感觉。如今可不一样了，到处都可以看到大大咧咧的父亲推着婴儿车，喂着小婴儿，一点也不慌乱。

“我没有让你不高兴吧？”身边那女人问道。

“没有，没有。”他站起来，握了握她的手。

“我真高兴你来敲门，”她说，“很高兴你来问我要了杯水。”哈罗德转身回到路上，趁她还没看见他脸上的泪。

达特姆尔高原比较低的地势在他左边隐约出现了。现在他可以看见原来远处地平线上那块模糊的蓝色，是一列紫色、绿色、黄色的山，山间连绵着大片草地，山顶堆积着大块石头。一只正在猎食的鸟，也许是只秃鹫，呼啦一声扫过大地，又掠过上空在高处悬浮着。

他想着那个没有孩子的女人，问自己多年前是不是不应该逼莫琳再要一个孩子。“有戴维就够了，”她说过，“我们有他就可以了。”但有时他还是害怕只有一个孩子的负担太重了。他想也许多几个孩子的话，那“爱之深、痛之切”是否就会分薄一点？孩子成长的过程就是不断地推开父母，离他们越来越远。当他们的儿子终于永远地拒绝了他们的照顾，他们就要艰难地去适应。刚开始有过一段生气的日子，接着就变成了别的东西，像是一种静默，但也同样强大和粗暴。到最后，哈罗德得了一场感冒，而莫琳则搬进了多出来的那间房里。不知为什么，两人都没提这件事，而莫琳也一直没搬回来。

哈罗德的脚后跟一阵阵刺痛，脚背也火辣辣地疼，现在脚底也开始烧起来。最细小的沙子也硌得他疼痛难忍，走几步路就要脱下鞋子把沙子倒出来。时不时还会听到膝盖喀啦一声，也没有什么原因，仿佛关节都变成了啫喱，让他趔趄一下。十只手指胀胀的，跳动着，不过那也许是因为平时很少这样垂着来回晃动。除了这些，他感觉自己是真真切切地活着的。远处一台除草机突然启动的声音都让他大笑出来。

哈罗德走上A3121国道往埃克赛特方向，走了大概一英里，他抛下身后塞得死死的车流，顺着草地边缘转上了B3372国道。后面有一群专业的徒步旅行者赶上了哈罗德，他让出道，还挥手和他们道别。他们就好天气和地形寒暄了几句，但他没有告诉他们自己走到贝里克郡的计划。他更愿意把这计划牢牢地装在脑子里，就像他把奎妮的信牢牢装在裤袋里一样。那群人离开的时候，他注意到他们都背着大大的登山包，当中有几个人穿着紧身的莱卡短裤，其他几个人则装备了遮阳头盔、望远镜和可伸缩登山杖。没有一个人穿着帆船鞋。

有几个人朝他挥手，还有一两个笑了出来。哈罗德不知道是因为他们觉得他倒霉还是值得敬佩，但哪种都好，他发现自己已经不在乎了。他已经不是从金斯布里奇出发的那个男人，也不是小旅馆里的那个人了，更不是只会走到邮箱寄信的那个人了。他正在走路去看奎妮·轩尼斯的路上。他再次迈开脚步。

哈罗德第一次听到奎妮要来酿酒厂时很是吃了一惊。“听说财务部要来一个新人，还是个女的。”他这样对莫琳和戴维说。他们当时正在那个最好的房间吃饭，那时莫琳还很热衷于下厨，这间房是专门留出来一家人吃饭用的。现在他想起来了，那天是圣诞节，周围的圣诞纸帽使对话变得特别轻松。

“所以呢？很好玩吗？”戴维说。应该是他预科学校高级考试那一年，他从头到脚都穿着黑色，头发几乎齐肩那么长，没有戴圣诞帽。他将帽子插在叉子上了。

莫琳一笑。哈罗德并不指望她站在他那一边，因为她太爱这个儿子了，这当然无可厚非。他只希望自己偶尔可以感觉不那么像个局外人，仿佛让母子俩亲近的原因就是两人都和他疏远。

戴维说：“女人在酿酒厂是做不长的。”

“听说她很能干呢！”

“谁不知道纳比尔？他就是个流氓，一个假装有受虐倾向的资本家。”

“纳比尔先生也没有那么坏啦。”

戴维大声笑了出来，“老爸，”他用一贯的语气说道，仿佛两人的联系不是血肉至亲而是个讽刺的玩笑，“他曾经把一个人的膝盖废掉了。人人都知道。”

“我想不至于吧。”

“就因为那个人偷了他的零钱罐。”

哈罗德一言不发，夹起菜在肉汁里蘸一下。这些流言他都听过，但他不愿多想。

“但愿那女人不是什么女性主义者吧，”戴维继续说，“也不要是同性恋或社会主义者，对吧，老爸？”很明显他已经不想继续纳比尔这个话题，要转而讨论和他们家有关系的事情。

哈罗德隐隐看到了儿子眼中的挑战意味。那眼神当时还有一种尖锐的感觉，看久了就让人觉得很不舒服。“我并不是说每个人都应该一模一样。”他说道，但儿子只是吸了吸牙齿，瞟向母亲的方向。

“你还看《每日电讯报》呢？”说完，他把碟子一推站了起来，佝着腰，皮肤苍白，哈罗德几乎不敢看。

“再多吃点，亲爱的。”莫琳叫道。但戴维摇摇头溜了出去，好像对着父亲就没法好好吃一顿圣诞午餐似的。

哈罗德看向莫琳，但她已经站了起来，开始收拾碟子。

“他是个聪明的孩子，你知道的。”她说。

言下之意，“聪明”足够做一切的借口，包括越来越疏远父母。“我不知道你怎么样，我太饱了，喝不下雪利酒了。”她低下头，摘掉圣诞纸帽，仿佛帽子太小了，然后开始清理残局。

哈罗德在黄昏前到了南布伦特，看着奶油色的房子、前院花园、带中央安防系统的车库，有一种长途跋涉之后重回文明的成就感。终于又踏在人造石板上，原来这些石板这么小，这么整齐。

他在一间小店里买了膏药、水、喷雾止汗剂、梳子、牙刷、塑料剃须刀、剃须膏和两包饼干，要了间单人房，墙上挂着已经灭绝了的鹦鹉图片。他在房里仔细检查双脚，在磨破了的水泡和肿胀的脚趾上贴上膏药。全身的肌肉一丝一丝都在疼，实在是筋疲力尽了。他从来没试过在一天里走这么远的路。但他已经走了八英里半了，心里很想再多走一点。吃了东西，通过付费电话和莫琳联系以后，要好好睡一觉。

夕阳滑落到达特姆尔高原的边缘，天空布满了红褐色的云霞。山岭镀上了一层不透明的蓝色，山上吃草的牛群在渐弱的日光里微微闪现出一种柔软的粉色。哈罗德不禁希望戴维也能知道他在走路。不知道莫琳有没有告诉他，他会用什么话来形容呢？星星一颗接一颗在夜空中刺出亮点，渐浓的夜幕开始战栗。

连着两晚，哈罗德一夜无梦。

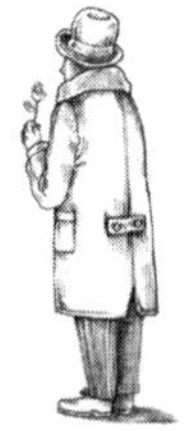

6

莫琳与谎言

一开始莫琳十分肯定哈罗德一定会回头的。他会打电话回来，又冷又疲惫，她只好开车去接他回来。肯定是大晚上，她要在睡衣上披一件外套，还要翻出自己开车时穿的鞋子，这一切都是哈罗德的错。所以她一直开着灯，半睡半醒，电话就摆在床边。但他既没来电话，也没有回家。

莫琳试着回忆这一切是怎么发生的。那顿早餐，粉色的信封，沉默的哈罗德，还有静默中轻轻的抽泣。潜藏在记忆深处的细节一一浮现出来：他如何将回信仔细折了两折才放进信封，没让她有机会瞄到信的内容。尽管她努力去想点别的东西，或者什么都不想，却总是无法摆脱那个哈罗德呆呆地盯着信的画面，好像他身体深处有些东西正在瓦解。她很想向戴维倾诉，但又不知道该怎么开口。哈罗德的决定太难理解了，也让她觉得很丢脸，而且她还害怕自己一对戴维说话就会开始想念他，那种痛楚实在太难以承受了。

哈罗德说他要走路去贝里克郡。那是说他到了那里就不会回来了吗？

好，想去就去吧。她早就该料到了。有其母必有其子。虽然她从来没见过琼，哈罗德也从来没提起过她，但什么女人会一个字也不留，收拾行李就一走了之呢？行啊，走就走吧。有时她自己都想把这一切结束了。是戴维让她坚持了下来，而不是夫妻间的爱。她已经记不起他们当初相遇的细节，她那时在他身上看到了什么，只记得他好像是在一个舞会上见到她的，还有她母亲第一次见到哈罗德时就觉得他很普通。

“你父亲和我还以为是什么人才呢。”她母亲用她特有的那种方式挤出这句话，哈罗德非常用力地听懂后，紧张得整个脸都皱起来。

那时莫琳不太听得进别人的话。没受过教育又怎样，没有格调又如何，起早贪黑打好几份工也只租得起一间地下室又有什么关系？只要看见他，她的心就轻飘飘飞起来。她会成为他从来没拥有过的爱，成为一个妻子、一个母亲、一个朋友。她会是他的一切。

有时回头看看，她会纳闷当年那个不怕冒险的年轻女孩去了哪里。

莫琳细细过了一遍他的信件，没有任何东西可以解释他为什么要走路去找奎妮。没有信，没有电报，一点痕迹都没有。他床头柜的抽屉里只有一张她的照片，还是他们刚结婚时拍的，还有一张戴维的黑白照，皱皱巴巴的，肯定是他偷偷藏起来了，因为她很清楚地记得自己曾亲手把这张照片贴在了相册里。屋里的安静让她想起戴维刚离开的那几个月，好像连屋子都屏住了呼吸。她打开起居室的电视，又拧开厨房的收音机，但屋子还是太空太安静了。

难道他等了奎妮二十年？奎妮·轩尼斯是不是也同样等了他那么久？

明天是收垃圾的日子。丢垃圾是哈罗德的工作。她上网订了几本夏季游艇出租公司的宣传册子。

随着傍晚逼近，莫琳意识到只好自己去丢垃圾了。她将垃圾袋拖到屋外，一下子丢到花园门口，仿佛被哈罗德遗忘了的这份职责也该为他的离去负一份责任。雷克斯一定从楼上的窗户看到她了，她回来时雷克斯已经来到篱笆旁边。

“莫琳，一切都还好吧？”

她轻快地回答：“当然。当然。”

“怎么今晚不是哈罗德倒垃圾呢？”

莫琳抬头看一眼卧室窗户。那空洞一下子狠狠地击中了她，仿佛有一种突如其来的痛楚撕扯着她的脸部肌肉，连喉咙都紧了。“他在床上。”她努力逼出一个笑容。

“床上？”雷克斯神色一沉，“怎么啦？他病了？”

这男人太容易担心了。多年前伊丽莎白在晾衣服的时候向她透露雷克斯母亲就爱小题大做，将他也变成了最杞人忧天的可怜虫。她回答：“没什么，就是滑了一跤，把脚扭了。”

雷克斯的眼睛瞪得像珠子那么大：“是昨天散步的时候摔的吗？”

“就是路上有块石砖松了而已。他没什么事，雷克斯，休息一下就好了。”

“太吓人了，莫琳。松动的石砖？天啊，天。”

他悲哀地摇着头。屋子里的电话突然响起来，莫琳的心跳到了嗓子眼。是哈罗德，他要回来了。她奔向屋里的时候雷克斯还站在篱笆旁，说：“你应该就这件事向地方议会投诉一下。”

“别担心了，”她回头喊道，“我会的。”她的心跳得那么快，不知道自己是要哭还是要笑。她冲到电话旁抓起话筒，但答录机已经启动，他挂了。她回拨1471，却查不到刚才的来电。莫琳坐下来看着那部电话，等他再打回来，或者回家，但两件事都没有发生。

那一晚是最难熬的，她不知道有什么人能在这种境况下睡着。她把床边闹钟的电池卸下来，但她对窗外的狗叫声、半夜三点钟经过的车子的声音、太阳升起那一刹那响起的海鸥的尖叫声，却无计可施。她定定地躺着，等待睡意袭来，有时意识已经渐渐模糊了，又突然惊醒想起一切：哈罗德正在走路去找奎妮的路上。失眠时想起这件事比当初在电话里听到这个消息还要痛苦。这种事都是这样的，她知道，你一定会不断挣扎，难以置信，会被现实一次次打倒，直到终于接受事实，尘埃落定。

她又一次打开哈罗德的床头柜，凝视他藏起来的两张照片。戴维穿着他的第一双小鞋子，扶着她的手单脚站着，努力保持平衡，另一只脚高高抬起，仿佛在细细审视自己的脚丫子。另一张照片是她，笑得那样开怀，深色的头发都落到了脸上。她正抱着一只有小孩子那么大的胡瓜[1]，一定是刚搬到金斯布里奇时拍的。

三封游艇公司发出的大信封寄到时，莫琳直接就丢进了垃圾桶。

1．胡瓜，黄瓜的旧称。

7

哈罗德、远足的男人与喜欢简·奥斯汀的女人

哈罗德发现酿酒厂里的几个家伙，包括纳比尔先生在内，发明了一种特别的走路姿势，一走起来就笑得歇斯底里，好像多有趣似的。“快看。”他们常在院子里自吹自擂，这时总有一个人会支起手肘，弯下腰，扎稳下盘，像母鸡扇翅膀一样摇摇晃晃地往前走。

“就是这样！操，就是这样！”其他几个会尖声怪笑，有时整群人都会吐掉嘴里的香烟，一起用这种姿势走起来。

连续几天透过窗户看着他们这样做，哈罗德突然反应过来他们是在模仿财务部新来的那个女人。他们是在模仿奎妮·轩尼斯和她的手提袋。

回忆到这里，哈罗德一下醒了，迫切地想回到路上。明亮的阳光洒在窗帘上，仿佛想努力挤进来，找到他。虽然身体僵硬、双腿酸软，他还是能走的，脚跟上的水泡也没那么痛了，这让他松了一口气。衬衫、袜子、内裤晾在散热片上，前一晚他用洗衣粉和热水把这些都洗了。还没干透，硬硬的，但也可以穿。他在两只脚上分别贴好一块剪得整整齐齐的膏药，又小心翼翼地将塑料袋打好结。早餐过后，他会继续向北走。

餐厅里点着一盏橘色的灯，有股潮湿的气味。哈罗德是唯一的顾客。透过玻璃柜门能看到一些西班牙洋娃娃和死了的红头丽蝇，已经干成纸团一样。女服务员话很少，但哈罗德很高兴不用再作解释了。他吃得很多、很急，边吃边盯着窗外的路，算着一个平时不太走路的人走完到布克法斯特的六英里需要多久，更别说剩下的四百八十多英里路了。

哈罗德拿出奎妮的信默念，虽然不看也可以背出来。亲爱的哈罗德：这封信也许会让你小吃一惊。我知道我们已经很久没见了，但最近常常不自觉地想起过去。今年我做了一个手术……“我讨厌南布伦特。”房间那头传来一个声音。

哈罗德惊讶地抬起头。除了女服务员和他再没有别人了，她看起来不太像刚说了话的样子。她坐在一张空桌子旁，摇着腿，鞋子挂在脚尖上一晃一晃，摇摇欲坠。哈罗德喝完最后一点咖啡，又听到一句：

“但我从来没有离开过这个地方。”

的确是那个服务员，虽然她连看都没看他一眼。她的脸一直朝着窗外，嘴唇张成空空的○形，好像是嘴巴兀自在说话。他希望自己能说几句话，又不知从何开口。也许什么都不说，静静地听就够了，因为她继续说了下去：

“南布伦特比起德文郡其他地方简直多余。就算太阳出来时我也不喜欢。我会想，是，现在是好，但不会长久的。不是在看雨，就是在等雨。”

哈罗德叠起奎妮的信，装回袋子里。信封有点问题，但他又说不出是什么问题。再说，不专心听那女人说话似乎有点不礼貌，因为很明显她是在和他说话。

她说：“有一次我赢了一个去伊比沙岛的旅游，只要收拾好行李就可以出发了。但我却做不到。他们把机票都寄给我了，但我没有打开。为什么会这样？为什么有机会逃离这里的时候，我没法把握？”

哈罗德咬着嘴唇，想起自己这么多年来没和奎妮说过一句话。“或许是害怕，”他说，“我曾经有个很好的朋友，但是我花了好长时间才看清这一点。其实挺好笑的，因为我们第一次见面是在一个文具柜里。”他想起那个场景，笑了出来，但那女人没有笑。也许那场景太难想象了。

她抓住摇得像钟摆一样的脚，仔细研究起来，好像以前没仔细观察过一样。“有一天我会离开的。”她说。她的目光穿过空空的餐厅，与哈罗德的视线相遇，终于笑了起来。

和戴维的预言正好相反，奎妮·轩尼斯既不是社会主义者，也不是女权主义者或同性恋。她矮矮胖胖，是个貌不惊人的女子，没有腰身，前臂上永远挂着一个手提包。众所周知，在纳比尔先生眼中女人不过是会计时的荷尔蒙炸弹，他会给她们一份酒吧招待或者秘书的工作，换取她们在他那辆捷豹汽车后座的“报答”。所以奎妮算得上是酿酒厂的一个“新尝试”，换了其他任何女人来应聘这份工作，纳比尔肯定都不会点头。

因为她是那样沉静、谦逊。哈罗德有次无意中听到一个同事说：“你简直会忘记她是个女人。”不出几天已经有消息说她为财务部带来了前所未有的进账，但这并没有减少逐渐蔓延到公司走廊上的各种模仿和讥笑。哈罗德真心希望她没看到或听到。有时在餐厅里碰见她，她手里握着纸包三明治，和那些年轻秘书坐在一起，静静地听她们说话，仿佛她们或自己根本就不存在。

一个晚上，他拿起手提包正要回家，突然听到柜门后传来一下抽鼻子的声音。他想继续走，但那声音又响了几次。终于他回过头来。

哈罗德慢慢打开柜门，一开始除了几盒纸什么都没看到，正要松一口气，突然又听到那声音，像是在抽泣。接着他看到了，有个人背对他蹲着，紧紧地贴着墙。她的外套包在脊背上，绷得紧紧的。

“不好意思。”他马上说，正要关上柜门赶紧离开，却听到她的哽咽：

“对不起。对不起。”

“是我不好意思才对。”现在他一脚踏在柜子里，一脚还在柜子外，面前是一个对着牛皮信封哭泣的女人。

“我工作都做得挺好的。”她说。

“当然了。”他瞥一眼走廊，希望能看到一个同事，过来和她聊一聊。他从来都是个不擅长表达情感的人。“当然了。”他又说了一次，好像重复这句话就够了。

“我有一个学位，我也不笨。”

“我知道。”他回答，虽然这并不完全是事实，因为他对她实在知之甚少。

“那为什么纳比尔先生总要盯着我，好像在等我出状况一样？为什么他们都要取笑我？”

这个老板对哈罗德来说永远是个谜。他不知道那些废了人家膝盖的传言是不是真的，但他见过老板把最难缠的房东收拾得服服帖帖。上周他才炒了一个秘书，就因为她碰了一下他的桌子。哈罗德对奎妮说：“我肯定他认为你是个了不起的会计。”他不过是想让她别再哭了。

“我真的需要这份工作，房租又不会自己交掉。但现在我只能辞职了。有时早上我根本不想起床。我父亲总说我太敏感了。”一下子听到的信息太多了，哈罗德不知该如何应付。

奎妮低下头，他看到她颈背上又黑又柔的秀发，这让他想起了戴维。他突然感到一阵遗憾。

“不要辞职，”他微微弯下腰，轻声说道，他说了心底话，“我刚开始工作时也觉得很难，总觉得自己格格不入，但慢慢会好起来的。”

她什么也没说，他甚至怀疑她没有听到他的话。“现在你想从文具柜出来了吗？”

他向她伸出手，这让他自己吃了一惊。同样惊人的是她握住了他的手。相比起来，她的手又软又暖。

出了文具柜，她很快就恢复过来，顺一顺自己的短裙，仿佛哈罗德就是那褶皱，她要将他抚平。

“谢谢。”她有点冷淡地说，虽然鼻子还通红通红的。

她挺直腰板抬着头离开了，剩下哈罗德站在那里，仿佛他才是举止失常的人。他想她最终还是放弃了辞职的念头，因为每天抬头看向她的桌子，她都还坐在那里，一个人气定神闲地工作着。他们几乎不怎么交流。事实上他注意到只要他一走进饭堂，她就会包好手中的三明治起身离开。

金色晨曦洒在达特姆尔最高的山上，仍笼在阴影中的地面覆着一层薄薄的霜。晨曦落到地面上，像从手电里射出的光束一样，指着前方的旅途。又是一个好日子。

离开南布伦特后，哈罗德遇到了一个穿睡衣的男人，他正在小碟子上放食物喂刺猬；他走过马路对面，避开街上的狗，突然看到一个年轻的文身女孩对着某间房子二楼的窗户大声吼：“我知道你在的！我知道你能听到我！”她来回踱着步，不时踢一下墙，整个身体因愤怒而微微发抖。每次看起来快要放弃的时候，她又会拐回来，再次喊道：“艾伦，你这个浑蛋！我知道你在上面！”他还经过一张被人丢弃的床垫，一个支离破碎的冰箱剩下的零件，几只不配对的鞋子，很多塑料袋，还有一个车轮的轴心盖。人行道再次变窄，从马路收成一条羊肠小道，他终于又回到了蓝天下、树篱间，看到厚厚的长着蕨草树莓的田埂。他大大松了一口气，连自己都惊讶怎么会这么如释重负。

他将剩下的饼干吃掉，虽然有几块已经碎了，还有一股洗衣粉的味道。

这样走够快吗？奎妮还活着吗？他不能停下来吃饭睡觉。他必须一直走。

下午走下坡路时，哈罗德感到右边小腿后侧的肌肉时不时就刺痛一下，髋关节也不太妥当，连抬脚的动作都慢了下来。他双手撑腰，不是因为酸痛，而是感觉需要一点支撑；他又停下来查看一下脚上的纱布，给水泡破了的那只脚换了一张新的膏药。

小路一转，开始上坡，然后又往下倾斜。有时候身边的山岭、原野通通都看不见了，他完全忘了自己在哪里，只想着奎妮，想着她过去二十年的生活是怎样的。她结婚了吗？有没有孩子？在信里她还保留着她娘家的名字。

“我能将《天佑女王》反过来唱。”有一次奎妮这么告诉他。她还真唱了，嘴里还含着一颗薄荷糖，“还有《你不送我花了》。那首《耶路撒冷》也差不多可以反过来唱。”

哈罗德笑了。不知道当时他有没有笑出来。一群嚼着草的母牛抬头看见他，把嘴巴停下；有几头向他走近，刚开始还很慢，渐渐却开始小跑，硕大的身体眼看着会停不下来。哈罗德真高兴自己在路上，虽然双脚有点受罪，挂在手上的塑料袋有节奏地打在大腿上，在手腕上勒出一圈发白的痕迹。他试着把袋子架在一边肩膀上，却总是掉下来。

兴许是袋子里的东西太沉了。哈罗德突然想起了儿子，小小的，站在走廊上，肩上背着新书包。他穿着灰色的校服，肯定是第一天上学。戴维和爸爸一样，比同龄的小朋友高那么几英寸，给人一种比他们大几岁，或者是特别壮的印象。他抬头看住哈罗德，靠着墙说：“我不想上学。”没有眼泪，也没有死死抓着爸爸的裤脚不放。戴维说话的方式简洁，很自觉，很可以消除听话者的疑虑。哈罗德回答道——是什么？他说了什么？他低头看着这个儿子，他想给他一切，却不知道该说什么好。

“是的，生活就是充满了令人恐惧的未知。”也许他是这么说的。或者“是的，一切都会好起来的”。又甚或是“没错，但生活有得意的时候，也有失意的时候”。若他虽然找不到话，但将戴维揽入怀里，那就更好了。然而他没有这么做。他什么都没做。他这么真切地感受到孩子的恐惧，却不知道怎么办。那天早上他的儿子看着自己的爸爸向他求助，他却什么都没给到他。他躲进车里开车上班去了。

为什么要想起这一切？

他弓起双肩，更加用力地迈步，仿佛不仅仅是为了赶到奎妮身边，更是为了逃避自己。

哈罗德终于在礼品店关门前到了布克法斯特。在山峦这一背景的衬托下，教堂的方形石灰石轮廓显得尤其灰沉。他突然忆起他们许多年前来过这，那是送给莫琳的生日惊喜。戴维不愿下车，莫琳当然坚持和孩子待在一块，最后一家人只在停车场停留了一会儿就打道回府了。

在修道院的礼品店里，哈罗德挑了几张明信片和一支纪念笔，还考虑了一下是不是买罐僧侣蜂蜜——这里离贝里克实在太远了，也不知道能不能塞进塑料袋里，况且在路上也许会不小心把洗衣粉掉到罐子里。但最后他还是买了，让服务员包了双层的保护膜。周围不见什么僧侣，只有观光的旅行团。那间刚翻新完的“橘子餐厅”比修道院本身还吸引游客。不知道这里的僧侣有没有注意到这一点，他们会介意吗？

哈罗德点了一大份咖喱鸡，端到靠大阳台的窗户旁，看着外面的薰衣草园。他实在太饿了，一顿狼吞虎咽。旁边桌子上有一对夫妻好像正在争执，也许和他们的旅行路线有关。男人在说什么突岩，拼命戳着面前的地图。女人不耐烦地在桌面上弹着手指，说突岩都是一样的，没什么区别。两人都穿着卡其色短裤、短袖上衣、登山靴。哈罗德不想打扰他人，开始写明信片。

“亲爱的莫琳：我到布克法斯特了。天气很好，鞋子还撑得住，我的腿脚也一样。H.”

“亲爱的奎妮：我已经走了大约十七英里了，一定要等我。哈罗德（弗莱）。”

“亲爱的加油站女孩：（很高兴你能帮上忙）谢谢你。来自那个说自己要走路的人。”

“来这里一日游？”一个声音从他头上传来。

他抬头，看到一个年轻的端着盘子的女侍应。她一定还不满十六岁，手上的指甲涂成蓝色，像那天早晨的天空。

莫琳从前有一段时间把脚指甲全部涂成红色，他曾经笑着看她将膝盖贴到耳朵旁，小小的舌尖伸出一点放在下嘴唇上，全神贯注地给脚指甲上色。他用力将注意力集中到眼前蓝色指甲的女孩子身上，才能撇开脑海里那幅美好的画面。哈罗德可不想她认为自己没在听她的话。

她清理桌子时，哈罗德解释自己正在徒步旅行，并没有提到目的地。

“保持健康是很重要的。”她说。

哈罗德不知道她是在说他还很健康，还是想表示他是时候对自己的身体上点心了。他也不在乎，因为至少她没有笑他。这种境况让他很感动：遇到一个陌生人，对他表现出不是自己的那一面，或者很久之前已经失去了的那一面，甚至是成为一个自己“可能会成为的人”——如果那些年前的选择不一样的话。他又点了一杯咖啡，女孩问一句要不要加奶泡，转身去了。

“我无意中听到了，”旁边正和妻子争执的男人开口问道，“你是要走达特姆尔高原那条线路吗？”

哈罗德回答自己不是来游玩的，起码不完全是。他正在走路去看望一个朋友。

“你经常旅行吗？”远足男问。

哈罗德回答，除了销售代表的工作需要，他很少出门。但他和妻子以前每年都会带上儿子去一次伊斯特本，那里每天晚上都有娱乐活动，当地居民还会举办一些比赛，“有一年我们的孩子还赢了《每日邮报》的扭扭舞奖呢。”

远足男点点头，仿佛不耐烦听下去了。“脚上装备当然是最重要的。你穿的是什么鞋子？”

“帆船鞋。”哈罗德咧咧嘴，但远足男没笑。

“你应该穿斯卡尔帕。斯卡尔帕才是专业设备，我们最爱穿它了。”

他老婆抬头更正道：“是你最爱穿它了。”她头发很短，和莫琳一样，眼睛瞪得圆圆的，仿佛戴了不舒服的隐形眼镜。哈罗德恍惚陷入了一段回忆。戴维那时特别喜欢一个游戏：用手表计时，看自己能多久不眨眼。小小的眼睛都开始流泪了，还不肯闭上。和那些伊斯特本的比赛不同，这游戏叫人看着都觉得疼。

远足男继续说：“有人喜欢其他牌子，但我们从来试一次失望一次。因为它们根本不够支撑力。”他还边说边点头，以示同意自己的观点。

“那你穿什么袜子？”

哈罗德瞥一眼双脚，正要说“普通袜子”时，发现远足男根本不需要他的回答。

“你要穿羊毛袜，”他说，“其他的想都不用想。外套是戈尔特斯[1]的吗？”

哈罗德张张嘴，又闭上了。他不知道那是什么外套，听起来不怎么好，虽然兴许并非这样。

“指南针呢？帽子和手套呢？哨子和头灯呢？”

“还有电池。”那位妻子补充道。

“没准备好就上路的伤亡率可比其他事情都高啊。当然，

1．戈尔特斯（Gore-Tex），美国Gore公司的王牌产品。是一种防水透气性布料。此种布料广泛用在登山及御寒等户外衣着上。此处哈罗德误以为它是一个服装品牌。

这样一段旅程经常可以成就或者结束一段婚姻。”

他妻子的手突然停了下来，坐得定定的。

“那么，你选的到底是哪条线路？”远足男问。

哈罗德解释自己其实是走到哪儿算哪儿，但整体上来说是在往北走，会经过埃克赛特、巴斯，或许还有斯特劳德。“就顺着马路走，因为我只开车走过这段路，其他路线我都不认识。”看到年轻女侍应端着咖啡回来，他松了一口气。她说给他加了双份的奶泡。

远足男又开口了：“他们把科茨沃尔德丘陵那条线说得太好了。我宁愿走奥法堤或黑山那条线。”

“但我想去科茨沃尔德，”他妻子说，“我喜欢那里的茶馆。那儿的石头跟蜂蜜一个颜色，可好看了。那里的人也很好，”她一边研究着桌子，一边用双手把一张餐巾纸折成小小的三角形，“很有礼貌。”

“她是简·奥斯汀迷，”远足男说，“所有奥斯汀小说改编的电影她都看过。但我是个大老爷们，你明白吧。”

哈罗德点着头，压根不知道那人说的是什么。他从来不属于莫琳说的“大男人”类型，也不喜欢跟纳比尔或酿酒厂那些家伙混。有时连他自己都惊异怎么受够了酒精之苦的自己会在一个酿酒厂里做那么多年。或许人就是这样，越害怕什么，就越容易被什么吸引。

“你的帐篷呢？”远足男问。

“我在路上的小旅馆住。”

“多好啊。”旁边的女人羡慕地说。

哈罗德笑笑，回到桌面写到一半的明信片上。他又想了一阵在伊斯特本度过的假期，莫琳会为旅程准备一些三明治，每次门还没开，他们就早早地到了。哈罗德一直很喜欢那些夏天，但最近莫琳却告诉他戴维形容生活到了低谷时就会说“像伊斯特本那闷死人的夏天一样”。他们当然已经好久没去伊斯特本了，但哈罗德相信莫琳一定搞错了，因为戴维在度假营里还认识了几个好朋友呢。还有赢了跳舞比赛那天，那天他肯定是开心的。

“闷死人。”莫琳说这几个字的时候语气特别重，好像很不满意这几个字似的。

旁边的夫妻又吵了起来，打断了哈罗德的思绪。

“他不可能走到的。”远足男说。

“也不一定。”妻子回应。

“穿着帆船鞋怎么走？顺着大马路怎么走？”他用手指戳着桌上的地图，仿佛不用多说什么了。

他的妻子吞了一下口水：“你每次都是这样，一有人做一些你没做过的事，你就忙不迭地说那是不可能做到的。”她的手指开始颤抖。

哈罗德想离开，但找不到合适的时机。

喜欢简·奥斯汀的女人接着说下去：“我压根不知道自己

为什么还要容忍你。我们根本连喜欢对方都谈不上了。”她丈夫盯着地图，好像没听见她说话；她则继续抱怨，好像他没在忽略她。“我要走远一点，”她提高音量，“一听你叠地图、拉拉链的声音，我牙齿都酸了。我简直想大声尖叫出来。”她手中的餐巾纸已经被撕烂了，变成一条条碎片。

哈罗德但愿那女人没有说出再也忍受不了丈夫这种话，也希望那男人可以笑一下，抓住她的手。他想起莫琳和自己，还有福斯桥路13号这些年的寂静。莫琳会不会在咖啡厅众目睽睽之下对他说他的声音让她想尖叫？他离开的时候，远足男依然在地图上指指点点，那妻子依然在对着空气说话，手中剩下的餐巾纸被她握成一团。两人都没有注意到哈罗德的离开。

哈罗德要了一间普通标间，里面弥漫着中央暖气、煮熟的鸡下水、空气清新剂混合的味道。身体又累又酸痛，但他还是先把“行李”打开，查看了一下脚的情况，然后坐在床边想接下来怎么办。心太乱了，睡不着。楼下传来晚间新闻播报的声音。莫琳这时候肯定也开着电视，边看新闻边熨衣服。有一阵子哈罗德没动，就这样听着主持人播报的声音，为他们之间的这种“同步”感到小小的安慰。他又想到餐厅里那对夫妻，对莫琳的思念更加深了。如果他努把力，情况会不会有所改变？如果他打开莫琳的房门，甚至定一个假期，带她出国？但她肯定不会同意的。她太怕听不到戴维的声音，怕戴维回来时家里没人，虽然他从不上门。

回忆又来了。他们刚结婚那些年，戴维还没出生，她在福斯桥路的院子里种满蔬菜，每天都在酿酒厂前面那个拐角等哈罗德下班。他们一起散步回家，有时会在海边停下来，在码头看那些小船。她用坏床垫拆出来的布做窗帘，剩下的料子还够给自己裁一条裙子。她会去图书馆找新菜谱，做砂锅、咖喱，还有意大利面。吃饭时她会问他酿酒厂里那些家伙怎么样，他们的妻子怎么样，虽然两人从来不参加单位的圣诞派对。

他记起那天突然看到穿着红裙子的她，领子上别着一片小小的冬青叶。他闭上眼睛，仿佛还能闻到她身上传来的甜甜的香气。他们在院子里喝着姜味啤酒，看着头上的星星。“谁还要去参加什么派对？”不记得是谁说了这样一句话。

他看到她抱着裹得严严实实的婴儿，递给哈罗德。“他不会碎掉的，”她笑着说，“为什么不抱抱他？”

他回答婴儿还是最喜欢妈妈抱，也许当时他还把手插进了裤袋里。

为什么她当时听了这个会微笑，还把头靠在他的肩膀上，但是多年以后想起来，又会成为愤恨埋怨他的源头？“你连抱都没抱过他！”两人关系最差的时候，她曾这样对他吼道，“他整[illegible]几乎都没碰过他！”并不完全是这样，他记得他为自[illegible]句，但她的话其实正中要害。他害怕抱自己的亲生儿[illegible]从前她能理解，这么多年后又开始怪他？

不知道现在戴维会不会来看他妈妈，既然父亲已经走得远远的了。

这样待在房里回忆和后悔着过去，实在是太沉重了。哈罗德取下外套。夜空中一弯皓月挂在几片云间。外面一个头发染成亮粉色，正在洗东西的女人看到他后，死死地盯住他，好像他才是外形奇异的人似的。

他在一个公用电话亭给莫琳打了电话，她也没有什么新消息可分享，两人说了几句就不知道说什么好了。她只提到一次他的“旅程”，问他有没有想过找个地图看看。哈罗德告诉她他打算到了埃克赛特就买些专业一点的步行装备。大城市里的选择总是多一点，他还提起戈尔特斯这个品牌。

“哦，”她回答，声调很平静，这说明他说了让她不满，但一早就预料到了的话。接下来的沉默里，哈罗德好像可以听到她舌头弹过上颌和吞口水的声音。然后她说：“你应该有个概念这要花多少钱吧。”

“我想可以用一些退休金。我会有预算的。”

“哦。”她又说了一次。

“反正我们也没什么别的计划。”

“嗯。”

“所以这样可以喽？”

“可以。”她重复道，好像从前没听过这个词。

有那么混乱的一阵子，哈罗德几乎想说你怎么不跟我一起来呢，但他知道答案一定是她的招牌回答“我不这么认为”，所以开口又变成了：“你觉得这样可不可以？我这么做？我走这段路？”

“不可以也只能可以。”莫琳说完就挂了电话。

哈罗德又一次离开电话亭，心里想如果莫琳能理解多好。但过去那么多年他们都淡漠了语言的沟通，只要看一眼他，她就会被拉回到痛苦的过去，还是三言两语的交流最为安全。他们都自觉和对方停留在最表面的交流，因为言语之下是深不可测、永不可能逾越的鸿沟。哈罗德回到自己的标间，把衣服洗了。他想着福斯桥路13号的两张床，尝试回忆从何时开始她吻他不再张开嘴？是搬出他们房间之前，还是之后？

破晓时哈罗德醒了。居然还能下地，他很庆幸，但也实在开始感到疲惫。暖气太足，这一晚太长，房间太局促。哈罗德不由得想到，虽然莫琳没说出口，但她对退休金的想法是对的。他不该不和她商量就把钱都花在自己的决定上。

虽然，天知道，他已经很久都没有让她满意过了。

离开布克法斯特，哈罗德上了B3352国道，经过阿什伯顿，在希思菲尔德过了一晚。路上遇到几个同道，有过几句简单的交谈，说说景色多美，夏天又要来了，然后互道一声祝福，又分道扬镳继续上路。转过山，涉过水，哈罗德一直顺着马路往前走。散落在树丛上的乌鸦扑腾着翅膀四散飞起，灌木丛中倏忽冲出一只年幼的小鹿。汽车引擎的呼啸声不知道突然从哪里响起，半刻又消散无踪。不时可以看见路旁房屋门后有只狗，或是排水沟边一头毛茸茸的獾。路旁的樱桃树站在厚厚一裙花云里，一阵风吹过，便散下一地五彩的糖果纸。无论再有什么突如其来的际遇，哈罗德都不会担心。这种自由的感觉太珍贵了。

“我是爸爸。”六七岁的他有一次这样对母亲说道。母亲饶有兴趣地抬起头。他为自己的勇气吓了一跳，不知道接下来该做什么好。只有戴上父亲的低顶圆帽，穿上他的睡袍，不满地看着空空如也的酒瓶。母亲的脸僵住了，他想自己至少也会得到一巴掌吧。但叫他大吃一惊、大喜过望的是，母亲突然仰起了柔软的脖子，房间里响起清脆的笑声。他甚至能看到母亲整齐的牙齿、粉色的牙肉。她从来没有这样笑过。

“真是个小丑。”她说。

那一刻他觉得自己像这间房子那么高大，好像已经长大成人一样。他也笑起来，一开始只是咧着嘴，后来渐渐笑得前仰后合。从此他开始努力寻找各种让母亲笑的方法：讲笑话、扮鬼脸。有时奏效，有时没什么用。有时他不小心打到旁边的东西，还不知道笑点在哪儿她就笑出来了。

大街小巷，哈罗德一条条走过。路窄了，又宽了，上坡了，又拐弯了。有时几乎要贴着路旁的树丛，有时又可以甩着胳膊大步地走。“别走到那些裂缝里，”他听到自己跟在母亲身后大声喊着，“那里有鬼。”但这次她看他的眼神好像根本不认识他，而是迈步跨进每一道裂缝。他只好跟着她跑起来，伸长双手，疯狂地摆动。但是要跟上琼这样的女人实在太难了。

哈罗德两只脚后跟都磨起了新的水泡。下午脚趾上也磨起泡来。原来走路也可以是这么痛苦的一件事。他满脑子能想的就是水泡。

他顺着B3344国道从希思菲尔德走到奈顿，又到了查德利。身体这样疲劳还走了这么远，真是竭尽全力了。他找到一间房子过夜，懊恼只勉勉强强走了五英里。第二天太阳一出来他就逼自己动身，一直走到日落，那天他走了九英里。清早的阳光透过枝叶在地面印下光圈，快中午时天空挂满了小小的顽固的云块，越看越像灰色的圆顶礼帽。蚊子在空中飞舞。

离开金斯布里奇五天了，已经离福斯桥路大约四十三英里了。哈罗德裤子的皮带松了，挂在腰上；额头晒伤的皮肤掉了，鼻子、耳朵也一样。正想低头看手表，他发现自己已经知道是几点。他每天两次检查自己的脚趾、脚后跟、足弓，一早一晚，在破损或肿起的地方贴块胶布、涂点药膏。他喜欢端一杯柠檬水，到外面屋檐下和那些抽烟的人一起躲雨。这一季开得最早的勿忘我在月光下的水洼里闪闪发亮。

哈罗德答应自己到了埃克赛特要买些专业的行走装备，再给奎妮带一件礼物。太阳沉到城墙背后，气温降了下来。他又想起那封信，还是觉得有一点不对劲的地方，又想不到是什么。

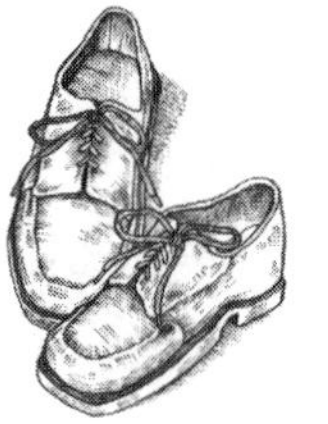

8

哈罗德与银发绅士

“亲爱的莫琳：我在一个大教堂旁的长椅上写这几行字。两个小伙子在演街头戏剧，好像快要把自己点着了。我还在我坐过的地方做了一个X记号。H.”

“亲爱的奎妮：不要放弃。祝好，哈罗德（弗莱）。”

“亲爱的加油站女孩：（很高兴你能帮上忙）我一直在想，你有祈祷的习惯吗？我试了一次，但太晚了。恐怕没什么用。祝好，正在路上的人。”

“又及：我还在坚持。”

已经是早上了。教堂外，一群人围着两个正在表演吞火的年轻人，旁边还摆着一个伴奏的CD播放机。突然一个披着毛毯的脏兮兮的老人出现了。两个年轻人穿着油腻腻的黑色衣服，头发绑成马尾，动作杂乱无序，让人担心会出事。他们让围观者退后一点，开始抛火棒，观众中响起一阵阵紧张的掌声。老人好像这才留意到他们的存在，推开人群站到两个年轻人中间，像一头憨憨的小猪。他在笑。年轻人叫他走远一点，他却开始随音乐手舞足蹈，动作生涩，既不稳当又不在拍子上。突然两个年轻人变得果断而专业起来，关掉CD播放器，收好家当就离开了。围观的人群渐渐散去，又成了陌路人。老人依然优哉游哉地在教堂外独自起舞，张开双臂，紧闭双眼，仿佛音乐未停，观众仍在。

哈罗德也想回到路上，又觉得既然老人是为了一群陌生人在跳，现在只剩下他一个了，离开就有点不礼貌。

他想起戴维在伊斯特本获奖的那个晚上。其他参赛者一个接一个退下了，只剩下这个八岁大的孩子在台上疯狂地摇晃扭动，场下一片尴尬。没人知道他这样跳到底是快乐还是痛苦。主持人开始慢慢拍起手，开了个玩笑，整个舞厅爆发出笑声，人群喧哗起来。迷惑的哈罗德也笑了，丝毫不知道作为孩子的父亲在这种复杂的情况下该怎么表现。他看了莫琳一眼，发现她用手捂着嘴惊讶地看着他。笑容从他脸上消失了，他觉得自己做了一回叛徒。

还有更多。戴维上学那些年，总把自己关在房间里，他的成绩名列前茅，从来不需要父母任何协助。“他内向就内向一点吧，”莫琳说，“他有他自己的兴趣。”毕竟他们自己也是不合群的人。这一周戴维想要的是显微镜，下周就成了陀思妥耶夫斯基的作品集，然后是德语入门书，再是盆景。他们一边惊讶于儿子学习新事物的贪心劲，一边一一满足他的要求。戴维既有他们没有的智力，又有他们不曾享有过的机会，无论如何，他们都不能让他失望。

“爸，”他会说，“你读过威廉·布莱克吗？”或者“你对漂移速度有什么了解？”

“什么？”

“我就知道。”

哈罗德花了一辈子低头，避免冲突，然而儿子却下定了决心和他斗一斗。他真希望儿子跳舞那天晚上自己没有笑出来。

跳舞的老人停了下来，好像才注意到哈罗德。他一丢毯子，微微鞠一躬，指尖轻轻扫了一下地面。他穿着某种套装，但实在太脏了，说不清哪是衬衫、哪是外套。他直起身来，依然直直地盯着哈罗德。哈罗德回头望了一下，确定老人看的是自己，而不是别人。路人匆匆而过，没有丝毫停留的意思。老人看的一定是他，错不了。

哈罗德慢慢地走向老人。实在太尴尬了，他走着走着忍不住装作有东西进了眼睛，但老人耐心地等着。走到离老人差不多一英尺远的地方，老人突然伸出了手，好像要拥抱一个看不见的老伙伴。哈罗德只好也举起双臂，摆出同样的姿势。慢慢地，两人的脚一左一右找到了自己的位置，他们没有碰到对方，却一同舞起来。哈罗德好像闻到一股尿味，或许还有呕吐物的气味，和更难闻的一股味道。四周只有交通和路人的声音。

老人再次停下来，鞠了一躬。哈罗德动一动，也低下头，对他表示谢意。但老人已经捡起地上的毯子一瘸一拐地走开了，仿佛已经将音乐丢到九霄云外。

在圣彼得附近的一家礼品店，哈罗德买了一套浮雕铅笔，希望莫琳会喜欢。至于奎妮，他给她选了一个小小的镇纸，里面是教堂的模型，一反过来整个教堂就会淹没在闪着光的晶莹碎屑里。他发现了一个奇怪的事实：游客来到这种宗教遗址通常会买一些无关紧要的小饰品与纪念品，因为除此之外他们并不知道还能做些什么。

埃克赛特让哈罗德吃了一惊。这些日子以来他已经建立了一种内在的节奏，城市里的喧嚣仿佛要将这种节奏打乱推翻。在开阔的天地间，哈罗德又舒服又安全，一切适得其所，他感觉自己成了某些伟大东西的一部分，再不仅仅只是哈罗德。但是在城市，当视野变得如此浅窄，他又感觉什么都有可能发生，无论发生什么，他都还没有准备好。

他低头寻找大地的痕迹，找到的只是砖石和沥青。一切都让他不安：交通、高楼、拥挤的人群、嘈杂的通话声。他对路过的每张脸微笑，这么多陌生人，真让他筋疲力尽。

哈罗德浪费了整整一天，只是到处游荡。每次他想离开，就看到了让他分神的东西，然后一个小时就过去了。他看着那些他都没意识到自己需要的东西，思索着要不要买下来。给莫琳寄双新的园艺手套吗？一个店员拿来五种不同的手套，一只只往他手上试，直至哈罗德想起莫琳已经丢下她那蔬菜园子好久了。他停下来吃饭，却看到一长串可以选择的三明治，最后忘了自己还饿着肚子就离开了。（他到底是比较喜欢芝士还是火腿，抑或是那天的特殊推荐，海鲜什锦？另外，还想不想吃点其他东西，比如寿司？北京烤鸭？）在原野上孤独行走时清晰如明镜的事情，此刻在丰富的选择、喧闹的街道和展示着林林总总货物的玻璃窗前，却渐渐模糊了起来。他真想尽快回到野外去。

现在有机会买装备了，他又开始犹豫。听一个热情的澳大利亚年轻人介绍了一个小时，看过专业爬山靴、帆布背包、小帐篷和有声步程计，哈罗德最后只买了一支可伸缩的电筒，他连连向那店员道歉。他告诉自己，反正靠着脚上这双帆船鞋和手中这个塑料袋已经走了那么远了，只要动动脑，牙刷和剃须膏都可以塞到裤袋里，止汗剂和洗衣粉则可以放到另一个裤袋里。所以他转而去了火车站旁边的一家咖啡室。

二十年前奎妮肯定也来过埃克赛特。她是不是从这里就直接到贝里克去了？她有亲戚在那儿吗？朋友呢？从来没听她提起过。有一次在车上广播听到一首歌，是《铿锵玫瑰》。她哭了。低沉的男音填满车厢，又稳又沉。这让她想起了父亲，她在抽泣间说，他最近刚刚去世。

“真不好意思，不好意思。”她低声说。

“没事的。”

“他是个好人。”

“那当然。”

“你也会喜欢他的，弗莱先生。”

她给他讲了一个父亲的故事。小时候，父亲会和她玩一个游戏，假装她是透明的。“我在这里！在这里！”她笑着说。而他则会一直低着头，好像压根看不见她一样，还喊着：“快过来呀，奎妮，你在哪里？”

“很好玩呢，”她用手帕捏捏鼻尖，“我真想他。”连她的悲伤都带有一种浓缩的端庄。

车站咖啡室热闹非凡。哈罗德看着那些来度假的人带着各自的行李箱和背包在桌椅间狭小的空间里谈判，问自己奎妮是不是也曾在这里落脚。他想象着孤零零的她穿着那身过时的套装，苍白着脸，坚定地看着前方。

他真不该让她就这样离开的。

“劳驾，”一个温柔的声音传来，“请问这个位子有人吗？”

他摇摇头，将思绪拉回现实。一个衣着光鲜的男人站在他左边，指着他对面的椅子问道。哈罗德擦擦眼睛，又惊讶又羞愧地发现自己又落泪了。他告诉那人座位没人，可以随便坐。

那人一身时髦的套装，深蓝色衬衫，配小小的珍珠链扣，身材消瘦，举止端庄，一头银发梳得整整齐齐，连坐下都要仔细调整双脚的位置，这样裤子的折痕就可以和膝盖对齐。他举手到唇边，以一种优雅的姿势托着头，看起来正是哈罗德一直想成为的那种人。用莫琳的话说，就是出身优越。也许他看得太专注了，侍应上了一壶锡兰红茶（不加奶）和一碟茶饼之后，那位绅士就颇有感触地发话了：

“道别总是不易。”他倒一杯茶，加了柠檬。

哈罗德解释他正在走路去看望一个自己多年前辜负了的女性朋友，希望这不会是告别，而是希望她可以活下来。说这话的时候，他没有直视那个绅士的眼睛，而是盯着桌上的茶饼。饼上的黄油已经化了，看起来像金色的糖浆。

绅士将茶饼从中切开，切成细细的一片一片的，边吃边听哈罗德说话。咖啡厅里又吵又乱，窗户上都是雾气。“奎妮不是很讨人喜欢的那种女人，她一点也不像酿酒厂里其他女工那么小鸟依人。她脸上还有些汗毛，当然不是胡子那种，但总有人取笑她这点，给她起绰号，这让她很难过。”一口气说下来，哈罗德甚至不确定对方听不听得到。他惊讶于那绅士将一片片茶饼送入齿间的利落手法，而且他每吃一片都要擦擦手。

“你要不要也来一点？”绅士说道。

“不用了不用了。”哈罗德举起双手直挡。

“我吃一半就足够，浪费就太可惜了。请不要客气。”

银发绅士将几片切好的茶饼整齐地排放到一张餐巾纸上，然后把碟口转向哈罗德，将完整的那一半递给他。“我可以问你一个问题吗？”他说，“你看起来也是个大方正派的人。”

哈罗德点点头，因为茶饼已经送进嘴里，总不可能吐出来再回答问题。他突然伸手想捞起茶饼上往下滑的黄油，但黄油直滑到手腕，把他的袖子都弄脏了。

“我每周四都来一趟埃克赛特。早上坐火车过来，第二天一早坐火车回去。我来这里是为了见一个年轻人，我们会做一些事情。没有人知道我这一面。”

银发绅士停下来倒了杯茶。茶饼卡在哈罗德的喉咙里，他能感觉到对方的眼睛在搜寻他的眼神，但他实在抬不起头来。

“我可以继续说下去吗？”绅士说。

哈罗德点点头。他大力咽一下，那块茶饼挤过扁桃体，挤下食道，疼了一路。

“我很喜欢我们的相处，否则我也不会来。但我越来越喜欢他了。事后他会给我拿杯水，有时会说几句话。他小时候得过小儿麻痹症，所以走路有点拐。在这个行业，他只剩下几年了。”

银发男人第一次踌躇起来，好像在和内心打架。他拿起茶杯递到嘴边时，手是颤抖的，茶水漫过杯沿洒到了茶饼上。“他打动了我，这个年轻人，”他说，“他用一种言语无法表达的方式感动了我。”棕色的液体顺着他光洁的下巴流了下去。

哈罗德扭头看向一边，想站起来，但意识到这样不行。毕竟他吃了人家的茶饼。但同时他又觉得这样目睹他人的无助也是一种侵犯，而人家对他可是和蔼大方、礼貌优雅的。他真希望那男人没有弄洒手中的茶，又希望他会擦掉，但他没有。他只是坐在那里，任茶水流下，一点都不在乎。那茶饼眼看着就要毁了。

那男人艰难地继续下去，语速慢下来，慢慢变成只言片语了。“我会舔他的运动鞋，这是我们会做的事情之一。但我今天早上才发现他的鞋子脚趾那个位置破了个小洞。”他的声音颤抖起来，“我想给他买一双新的，又怕冒犯了他。但我又忍受不了他穿着破了的运动鞋走在街上，他的脚会湿的。我该怎么办？”他的嘴紧紧抿起来，仿佛在努力把即将喷涌而出的痛苦咽回去。

哈罗德想象着火车站月台上站着一个绅士，穿着时髦套装，和旁人看起来一模一样。全英格兰的绅士都是这样的，一个个买着牛奶，给自己的汽车加着油，或者正在寄一封信，但没人知道他们内心深处背着的包袱。有时他们需要付出简直不为人道的努力来扮演“正常”，每天都要装，还要装得稀松平常。那种不为人道的孤独感。又感动又惭愧的哈罗德递过去一张餐巾纸。

“我想我还是会给他买双新鞋的。”哈罗德说。他终于抬起眼看着银发绅士。他的虹膜是水蓝色的，眼白的地方都红了，看着就觉得痛。哈罗德的心像被什么咬了一下，但他没有移开眼神。两人就这样对坐了一会儿，一言不发，直到哈罗德心中一亮，笑了起来。他明白了，在弥补自己错误的这段旅途中，他也在接受着陌生人的各种不可思议。站在一个过客的位置，不但脚下的土地，连其他一切也都是对他开放的。人们会畅所欲言，他可以尽情倾听。一路走过去，他从每个人身上都吸收了一些东西。他曾经忽略了那么多的东西，他欠奎妮和过去的那一点点慷慨。

那位绅士也笑了。“谢谢。”他擦了擦下巴、手指，然后是杯沿，“我想我们应该不会再见了，但我很高兴今天遇见了你。我很庆幸我们说了话。”

他们握握手，分开了，将没吃完的茶饼留在了原地。

9

莫琳与戴维

莫琳分不清到底哪件事更难以忍受：是刚知道哈罗德要走路去找奎妮时的惊讶，还是随后取而代之的愤怒。她收到他寄的明信片，一张来自布克法斯特，另一张来自达特茅斯火车站（“希望你一切都好。H.”），都没有给她带来半点真正的安慰或解释。晚上她经常会接到哈罗德的电话，但那时他往往是累得连话都讲不清楚了。那笔用来养老的退休金看来再过几周就会被挥霍殆尽。他怎么可以这样离开她，在她忍了他四十七年之后？他怎么可以这样侮辱她，让她连对着自己的儿子都倾诉不出口？门廊桌上一沓薄薄的写着“H. 弗莱先生收”的账单每天都在提醒她：他已不在。

她找出真空吸尘器，将哈罗德留下的痕迹——一根头发、一枚纽扣，通通吸掉。她用杀菌剂喷遍他的床头柜、衣柜和床。

让莫琳头痛的不仅仅是怒意，还有该如何向他们的邻居解释这件事。她已经开始后悔说了“哈罗德扭伤了脚踝卧床休息”的谎言。雷克斯几乎每天都来一次，问哈罗德想不想和他聊一聊，还带来问候的小礼物：一盒牛奶糖、一副纸牌、一篇本地报纸上剪下来的草坪护理介绍，以至于莫琳现在都不敢抬头看向大门，怕又会透过门上的磨砂玻璃看见那个肥壮的身影。她也想过要不要告诉他哈罗德已经进了医院急诊，但雷克斯肯定会更加焦虑，她可应付不来。再说他可能会主动提出开车送她去医院。这间房子现在比哈罗德离开之前更像一个监狱了。

哈罗德离家一周后，在电话亭给莫琳打了个电话，说会在埃克赛特多待一晚，第二天一早就往提伯顿出发。他说：“有时候我觉得我这么做也是为了戴维。你听得到吗，莫琳？”

她听到了。但她一句话也说不出来。

他继续说：“我常想起他，记起了很多事情，他小时候的事情，我想可能也会对我有帮助。”

莫琳吸了一口气，冰凉冰凉的，牙齿都酸了。她终于开口：“你是想告诉我戴维希望你走路去找奎妮·轩尼斯？”

电话那头安静了，良久，传来一声叹息：“不是。”声音呆滞、阴暗，直往下沉。

她继续说："你告诉他了吗？"

"没有。"

"看见他了？"

又一句，"没有。"

"那就是啊。"

哈罗德不说话了。莫琳在地毯上来回踱步，看拿着有线电话能走多远距离："如果你真的要去找这个女人，如果你不带地图、不带手机就想跨越整个英格兰，连说都不跟我说一声，那么我请你至少承担起自己的所作所为。这是你的选择，哈罗德。不是我的。更不是戴维的。"

说完这番义正词严的控诉，她除了挂电话，已经没有别的选择。莫琳马上就后悔了，她试着打回去，但号码不通。她有时就是会这样，说一些口不对心的话，已经成为习惯了。她试着找些事情分散注意力，但唯一还没洗过的东西就是那窗帘，而她实在无法鼓起劲将它拆下来。第二天，夜幕来了又去，什么事都没发生。

莫琳睡得并不安稳。她梦见自己在一个社交场合，人人都穿着晚装，戴着黑领带，没有一张她熟悉的面孔。她坐下来想吃东西，一低头却发现大腿上是自己的肝脏。"幸会幸会。"她赶紧对身边的男人说话，在他注意到之前遮住那肝脏。但无论她怎么抓，肝脏都要从她指间滑落，最后肝脏终于被压扁，有一部分还被挤进了指甲缝里。正当她实在不知道怎样才能稳住之际，侍应来了，送上一道道盖着银色盖子的菜。

奇怪的是，她的身体并不疼，或者说不那么疼。她感觉到的更多是惊慌，是惊慌带来的痛苦。那惊慌像皮疹一样袭来，连头发下的皮肤都感到一阵刺痛。怎样才能趁没人注意把肝脏放回身体里？身上没有伤口，要从哪里塞进去？无论莫琳如何用力在桌底下甩着手，依然满手都是肝脏的碎片。她试着用另一只手抹掉粘着的东西，但很快两只手都弄脏了。她想跳起来，想尖叫，却知道不能这么做。她必须保持非常镇定，非常安静，不能让任何人知道她手里握着自己的肝脏。

四点一刻，莫琳浑身是汗地惊醒，伸手打开床头灯。她脑海里满是此刻远在埃克赛特的哈罗德，是快要被花光的退休金，还有雷克斯和他送来的礼物。她想着屋子里驱散不去的寂静，她无法再承受下去了。

天亮后不久，她向戴维坦白了一切：父亲离开了，上路去找一个过去的女人。他听着。“你和我都没有见过这个奎妮·轩尼斯，”莫琳说，“但她以前在酿酒厂做过，是个会计。我猜她是个老姑娘，非常非常寂寞。”然后她告诉戴维她爱他，希望他有空来坐一下。他回答他也是。“我该拿哈罗德怎么办呢，孩子？你会怎么办？”她问道。

他清楚地向她指出父亲的问题是什么，还叫她赶紧去一趟医生那里。他说出了她不敢说的话。

“但我不能离开家呀，”她急急说道，“他可能会回来，而我却不在。”

戴维笑了。她听着觉得有点刺耳，但这孩子从来不虚伪做作。现在她面临着一个选择：可以待在家里等下去，也可以对这件事做点什么。她想象着戴维笑的样子，泪水盈上眼眶。然后他说了一句让她吃惊的话，他说他知道奎妮·轩尼斯这个人，她是个好人。

莫琳轻轻吸了口气：“但你从来没见过她呀。”

戴维说虽然如此，但莫琳和她却是见过面的。她来过福斯桥路，带着一个给哈罗德的口信，很紧急的口信。

“那就这样吧。”一到医院上班的时间，莫琳就给医生打了预约电话。

10

哈罗德与提示

清晨，天空是单纯的蓝色，飘着几缕白云，未沉的月亮在树影后徘徊。哈罗德庆幸自己又回到了路上。他很早就离开了埃克赛特，离开前他买了一本二手的《野生植物百科辞典》和一本《大不列颠旅游指南》。他将这两本书和给奎妮的礼物放在塑料袋里，带上水和饼干，还有一管药剂师推荐的凡士林药膏，用来涂脚。“我也可以给你开一个专业的药用乳膏，但是既费时间又费钱。”那店员是这样说的。他还提醒哈罗德接下来天气会变坏。

在城里时，哈罗德的思维仿佛停滞了。现在回到野外，一个地方接一个地方地走下去，他脑海里一张张画面终于又回来了。在路上，他解放了自己过去二十年来努力回避的记忆，任由这些回忆在他脑子里絮絮说着话，鲜活而跳跃，充满了能量。他不再需要用英里丈量自己走过的路程。他用的是回忆。

一段路接着一段路。他看到莫琳在福斯桥路的花园里种四季豆，穿着他的旧衬衫，头发绑在脑后，迎着风，脸上满是尘土。他看到一只被打破的鸟蛋，想起戴维出生时也是如此脆弱，他心里充满了温柔。寂静中听到一只乌鸦空洞的哭喊，他忽然好像回到自己少年时的床上，听着同样的哭声，被寂寞吞噬。

“你要去哪儿？”他问母亲。她提起行李箱，长长的丝巾在脖子上绕一圈，垂到背后，像长长的头发一样。

“不去哪儿。”她这样说着，却伸手推开前门。

“我也想去。”在他身上已经能看出父亲的影子，幸好他的身高只到母亲的肩膀。他伸手抓住丝巾，只抓住流苏那一段，这样母亲也许就不会留意到。指尖触过丝绸，质感如此顺滑。“我可以去吗？”

“别闹了，你会好好的。你已经是个男人了。”

“你想听我讲笑话吗？”

“现在不想。哈罗德。”她把丝巾从他手中抽出。

“你弄得我很难堪，”她擦擦眼，“我的妆花了吗？”

“你很漂亮呀。”

“祝我好运吧。”她深吸一口气，仿佛就要一头扎进水里，她终于迈步走了。

每个细节都那样清晰，比脚下的土地还要真实。他能闻到她身上的麝香香水，看到她皮肤上的白色粉底。即使她已不在，他也知道她的脸亲起来一定是棉花糖味的。

“我猜你也许想试试新口味。”有一次奎妮·轩尼斯这样说道。她撬开小小的锡罐，露出里面一块块裹着糖衣的白色糖果。他当时摇摇头继续开车。这以后她再没带过棉花糖出来。

阳光渗过厚厚的枝叶，新发的叶子在风中起伏，乍一看去像极了银箔。到了布兰福斯贝克，屋顶都变成了茅草，外墙也不再是打火石的颜色，而是转为暖暖的红色调。绣线菊沉沉的花朵压低了枝叶，飞燕草的新芽破土而出。哈罗德对着手中的辞典，认出了老人须、铁角荷叶蕨、朝颜剪秋罗、罗伯特氏老鹳草、白星海芋，还发现从前叫他惊艳的星形小花原来叫栎木银莲。乘着兴致，他捧着辞典又走了两英里半，一直到索华顿。并没有像药剂师说的下起雨来，哈罗德觉得十分庆幸。

眼前土地开阔，向远处的山岭延展。哈罗德途经两位推着婴儿车的年轻女士，一个脚踩踏板车头戴花哨棒球帽的小男孩，三个遛狗的男人，一个徒步旅行者。他和一个想成为诗人的社工聊了一晚上，那人提议给哈罗德的柠檬水里加些啤酒，哈罗德拒绝了。酒精给他的过去带来了许多不快，他解释道，还影响了他身边的人，所以他已多年没喝酒。他还提到奎妮，提到她喜欢把歌倒过来唱，喜欢出谜语，喜欢甜食。她的最爱是梨形糖果，柠檬果子露，还有甘草糖。有时她整条舌头都会吃成红色或紫色，但他从来不喜欢指出来。“我会给她递一杯水，希望这样可以解决问题。”

“你真是个圣人。”哈罗德讲完自己的行走计划后，那人这样评论。

哈罗德嘎吱嘎吱地嚼着一块炸猪皮，不停地说自己不是什么圣人：“我老婆也会这么说的。”

“你该看看我每天要对付的那些人。”社工说，“简直让你想放弃算了。你真的相信奎妮・轩尼斯在等你？”

“没错。”哈罗德说。

“而且你坚信你真的可以靠一双帆船鞋走到贝里克？”

“没错。”他重复。

“你害怕过吗？在你一个人的时候？”

“刚开始会，但现在已经习惯了。我知道会发生什么事。”

社工耸耸肩问：“其他人呢？像我每天都要对付的那些人，你遇到这种人又怎么办？”

哈罗德回想自己在旅途中见过的人。他们的故事都让他惊讶和感动，没有一个例外。这个世界已经多了许多他在乎的人。“我只是一个普普通通的过路人，站在人群里一点也不出彩。我也不会麻烦任何人。当我告诉他们自己在做什么，他们也都能明白。他们回顾着自己的过去，也希望我能到达目的地。他们和我一样，都希望奎妮能活下来。”

社工专心致志地听着。哈罗德不禁觉得有点热，松了松领带。

那个晚上他第一次做了梦。画面还没定格他就起来了，但血液从关节喷射而出的一幕依然留在脑海里，如果没有及时醒过来的话，肯定会梦见更糟的事情。他望着窗外漆黑的夜空，想起母亲离开那天，父亲盯着前门，仿佛要用意念将门“砰”一声打开，看到站在门后的母亲。他搬了一张椅子坐在那里，还抱着两瓶酒，好像就这样坐了好几个小时。

“她会回来的。”他说。哈罗德躺在床上，用尽全身力量倾听，小小的身体绷得紧紧的，感觉自己已经不再是自己，而成了“寂静”的一部分。第二天早上，小小的屋子里满地都是母亲的衣服，像极了一个个空荡荡的母亲。一些甚至落到了那片小得可怜，被称之为“前院”的草坪上。

“发生什么事了？”隔壁屋的女士问道。

哈罗德将衣服一件件捡起来，团成一个球。上面充满了母亲的气味，她不会就这样一去不回的。小小的哈罗德要将指甲掐进手臂才能忍住不叫出声来。待他将这些画面回想一遍，夜空的漆黑终于淡了。哈罗德冷静了下来，躺回床上。

几个小时之后，他还不太明白到底发生了什么事，只知道自己几乎连动都动不了了。水泡还勉强可以忍受，只要贴上几片厚厚的膏药。但右腿每次一受力，脚踝就升起一阵剧痛，直刺到小腿肚子那里。他完成了平时做的事情：洗澡、吃早饭、收拾塑料袋、付钱，但只要有重量放在右脚上，他就痛得倒吸一口凉气。天空是冷冷的钴蓝色，太阳还未升起，雾气还微微闪着白光。哈罗德顺着西尔维街走向A396国道，一路走下来，几乎什么都看不见。他每隔二十分钟就要停一下，拉下袜子，捏捏小腿上的肌肉。幸好还看不出什么劳损的痕迹。

他试着去想奎妮和戴维，分散自己的注意力，但没有成功，那些画面往往还没成形就分崩离析了。他想起儿子对他说“我打赌你没法说出非洲大陆所有国家的名字”，然而每当他试着想出一个国名来，小腿就立刻一阵刺痛，脑子就空白一片了。半英里走下来，哈罗德感觉自己的胫骨好像被锯掉了，再也承不住一点重量。他只好由左腿一步一拖，右脚只敢点一点地。还没到中午，天空中已经堆满了云。无论怎么看，横跨英格兰都像爬一座险峰那么难，连脚下的平地都好像陡峭了起来。

他无法摆脱父亲瘫在厨房椅子上等母亲回来的画面。那画面其实一直都在，但哈罗德感觉这好像是自己第一次认真去看。父亲的裤子里或许是一片狼藉，最好还是别用鼻子呼吸。

“走开。”他说。但他的眼神一下就从哈罗德身上移到了墙上，很难确定到底是哈罗德还是那面墙碍着了他的眼。

邻居们听说后都来安慰父亲。琼一直都是个很自我的人，他们说。其实这是件好事，至少你还年轻，还能从头开始。屋子里突然多了不少从前没有过的女性气息：窗子打开了、橱柜清理了、床铺晾过了。炖菜、馅饼、肉冻、果酱、牛油布丁、水果蛋糕包在棕色的锡纸里面一包包送过来。家里从未有过这么多食物，何时开饭并不是他母亲会关心的事情。黑白照片丢进了袋子里，红色唇膏和她那瓶香水一起，从浴室消失了。有时他会看见她转过街角或穿过马路，有一次还看见她来接他放学，冲过去之后才发现不过是一位陌生的阿姨，戴着妈妈的帽子，穿着妈妈的衣服。琼一直很喜欢明快的颜色。他的十三岁生日眼看着来了，又过了，她依然一点音信也没有。六个月后，浴室的柜子里再也找不到她的气味了。父亲开始填补她离开后留下的空缺。

“叫梅阿姨。”他说。他已经脱下了睡衣，换上一套宽宽大大的西装，甚至开始剃胡子。

“我的天，真是个小大人了。”那女人看起来只剩下从厚厚的毛领子里冒出来的一张宽脸，提着蛋白杏仁饼的手指就像香肠一样，“他会喜欢吃这个吗？”

想到这里，哈罗德的嘴巴湿润了。他吃光了塑料袋里的饼干，但还远远不够。嘴里的唾沫越来越稠，像糨糊一样。遇上路人，他就用手帕遮住自己的嘴巴，不想吓到他们。他买了两瓶牛奶，狼吞虎咽地喝下去，流得下巴上都是。已经喝得这样快了，对液体的渴望却仍然如此强烈，他边喝还边用嘴巴将纸盒的口子拉大一点，自己也觉得简直无法解释。牛奶还是流得不够快。再往前走几英尺，肯定会因反胃而停下来。他实在没法不去想母亲离开的那段日子。

在那个母亲带走的行李箱里，不仅仅有她的笑声，整间屋子里唯一比他高的人也随之而去了。不能说琼是个温柔亲切的人，但她至少还是挡在了这个儿子和一片乌云之间。那些阿姨给他递糖果，捏他的脸颊，甚至问他自己穿的裙子好不好看。哈罗德突然觉得这个世界好像没有了界限，每次她们一碰他，他就往后缩一下。

“我并不是说他怪，”他的梅阿姨评论道，“可他就是不愿看着你。”

哈罗德现在走到比克利了。旅游指南说，他应该去看一看埃克斯河岸边的红砖小城堡。但一个穿橄榄色裤子的长脸男人告诉他，那本指南的内容已经过时了，除非他对豪华婚礼或神秘谋杀案有兴趣。他向哈罗德推荐比克利磨坊的手工艺礼品店，说那里还比较有可能找到合他口味和预算的东西。

哈罗德看看店里的玻璃饰品、香薰袋、当地人手工做的喂鸟器，没发现什么特别感兴趣或者需要的。他有点失望，想离开，但作为店里唯一的一个顾客，又有店员盯着，好像非买点什么不可。他为奎妮带了四个杯垫，上面印着德文郡的风景。至于妻子，他给她选了一支圆珠笔，按一按笔尖就会发出暗暗的红光，当她想在黑暗中写字的时候，就可以用了。

“没妈的哈罗德”，学校里的孩子都这样叫他。他不肯上学了。

“没事的。”他的薇拉阿姨说。梅阿姨离开后，她就睡在了梅阿姨的位置，“他蛮会讲笑话的，偶尔也有几句点睛之笔。”

疲惫又凄凉的哈罗德在一家“渔夫小舍”点了餐，眺望着河面的景色。他和几个陌生人交谈过，得知这不平静的河面上有座桥，是西蒙和加丰克尔写那首歌的灵感。其间他又点头又微笑，好像在仔细聆听，实际上满脑子都是走过的旅程，过去的时光，还有自己的腿到底怎么了。情况有多严重？会不会自动消失？他早早就上床睡了，安慰自己多休息一下就没事了，但痛楚并没有好转。

“亲爱的儿子，”琼寄来的唯一一封信是这样写的，“纽西兰是个很棒的地方。我非离开不可。我不是做母亲的料。替我问候你父亲。”最糟的不是她一走了之。最糟的是她连个解释都写得错字连篇。

出发的第十天，没有一个动作不在提醒他有麻烦了。每牵动一下肌肉，他的整条右腿都好像在灼烧。他想起自己在电话里给奎妮的疗养院留下的十万火急的宣言，觉得真是既幼稚又不恰当，连那天晚上和社工的对话也让他惭愧不已。一夜之间仿佛发生了什么，使这个旅程和他的信心断裂成两件不相干的事情，剩下的只有艰苦无边的跋涉。他走了十天，所有的精力都用在不断地将一只脚迈到另一只脚前面，现在却发现信念低到了脚下，之前强压着的担忧渐渐成了隐伏的事实。

到目前为止，顺着A396国道走到提伯顿那三英里半是最艰难的。路边几乎没有躲避来往汽车的余地，虽然越过刚刚修剪过的灌木能看到埃克斯河面闪烁的银光，他还是宁愿自己没看到那些四棱八角的枝叶。路过的司机按着喇叭朝他大喊大叫，叫他离开马路。他很是为现在的进度自责，照这个速度，要圣诞节才能赶到贝里克了。“连小孩子都会做得比你好。”他这样对自己说。

他想起了疯魔起舞的戴维，想起那个不顾一切往深海游去的男孩。又看到自己试着给这孩子讲个笑话，戴维听完后整个脸都皱起来，“我不觉得有什么好笑的。”他说。看起来快要崩溃了。哈罗德解释了笑点在哪里，说笑话就是为了让人轻松一笑，然后又讲了一遍。“我还是不明白。”戴维回应。稍后哈罗德听到戴维向浴室里的莫琳重述那个笑话。“他说这东西好笑，”戴维抱怨道，“他还讲了两遍，我愣是没笑出来。”即使在那么小的年纪，他已经可以把话讲得如此阴沉。

哈罗德想起十八岁的戴维，头发垂过肩膀，手和脚长长地从袖口和裤管里伸出来。他看见这年轻人脚踩枕头躺在床上，双眼死死地盯着一个地方，哈罗德几乎要怀疑戴维是不是能看见什么他看不见的东西。他的小手腕瘦得只剩下骨头了。

他听见了自己的声音：“我听你母亲说你考上了剑桥。”

戴维连看都不看他一眼，继续盯着那片虚无。

哈罗德想过将他揽进怀里，紧紧拥抱一下。他想说：“好样的，儿子，我这样的人，怎么会有你这么聪明的孩子？”然而他最终只是看着戴维深不可测的脸，说了一句“老天，太好了，老天”。

戴维嘲弄地一笑，仿佛父亲讲了一个笑话。哈罗德拉上房门，跟自己说，有一天，当儿子真正长大成人，他们之间相处或许会容易一点。

从提伯顿开始，哈罗德决定一直顺着大路走，他安慰自己这样走线路更直。沿着大西部的线路一直走，穿过乡村小径，到A38国道，这样还有二十英里就到陶顿了。

暴风雨就要来了。乌云像兜帽一样盖着大地，却在布雷克顿山边留下一道诡异的光边。他第一次想起了自己没带的手机，不知道前方等着他的是什么，他很想和莫琳说一下话。树梢在花岗岩一样的天空下微微发着光，在第一阵风打到的时候疯狂地颤抖起来，树叶、短枝都卷到了空中。鸟儿在叫。远处一道雨幕出现在哈罗德和群山之间。第一滴雨落下，他把头缩进外套里。

无处可避。雨打在哈罗德的防水夹克和脖子上，甚至流进绑着松紧带的袖口。雨点像豆子一样落下，在水洼里回旋，在排水沟里冲刷。每驶过一辆车子，雨水便溅到他的裤子上，然后顺势流入帆船鞋里。一个小时之后他的脚就全湿了，身上的皮肤被湿透的衣服粘得痒痒的。他不知道自己肚子饿不饿，也想不起自己吃过东西没有。只有右腿仍然痛着。

一辆车在他旁边停下，溅起的水花直甩到他腰上。没关系，反正已经不能再湿了。乘客座的车窗慢慢摇下来，里面传出一股新皮革和暖气混合的味道。哈罗德弯下腰。

车里有一张年轻的，干燥的脸："需要搭你一程吗？"

"我需要走路，"雨水刺痛了哈罗德的眼睛，"但谢谢你停下来。"

"真的没关系的，"年轻的脸坚持，"这种天气，谁都不该待在外面。”

“我发了誓的，”哈罗德直起身来说道，“我必须一路走过去。但是非常感谢。”

接下来整整一英里，他都在问自己是不是个傻瓜，想象着坐在热气腾腾的车厢里，让双脚休息一下。如果他一路这样搭便车的话，不出几个小时就可以到贝里克了。也许第二天早晨以前就能到。他走得越久，奎妮还活着的可能性就越小。但他仍坚信她在等着。如果他没能履行自己这边的诺言——无论这“协议”看起来多荒谬——他肯定自己一定不会再有机会见到她了。

我该怎么办？给我一个提示吧，奎妮，他说。也许他大声喊了出来，也许只是在心里默念着。他不知道自己在哪里停了下来，也不知道外面的世界是什么时候重新回到了他眼中。

一辆巨大的货车轰隆隆朝他开过来，疯狂地响着喇叭，把他从头到脚溅满了泥。

然而另一件事发生了。是那种还没结束就叫人意识到其重要性的事。快到傍晚时，雨突然停了，甚至让人怀疑是不是根本没下过雨。东边的云层撕开一道裂缝，一道矮矮的、闪亮的银光破云而出。哈罗德停下来，看着那块巨大的灰云一点一点裂开，呈现出全新的蓝色、明亮的琥珀色，还有蜜桃色、绿色、深红色。渐渐云层透出了一种暗暗的粉色，仿佛被那些鲜活的色彩穿透了，融合在一起。他动弹不得，急切地想亲眼看见每一点改变：地上的光是金色的，连他身上的皮肤也因此暖起来；脚下的土地咯吱作响，仿佛在耳语什么；空气闻起来是绿色的，充满了新生；软软的水汽升腾而起，如缕缕轻烟。

哈罗德累得几乎抬不起腿，但他看到了这么丰盛的希望，叫人眼花缭乱。如果他能一直将眼光集中在比自己伟大的事物上，他知道自己一定可以走到贝里克的。

奎妮还活着。她也相信了。她在等他。

11

莫琳与临时医生

接待员一个劲地道歉：因为实行了新的自动化服务台，她没法帮莫琳办理预约医生来访登记了。“但是我就站在这里呀，”莫琳说，“为什么你不能帮我登记呢？”接待员指指离主接待台几英尺的屏幕，向莫琳保证自助服务操作非常简单。

莫琳的手指湿答答的。自动服务台问是男性还是女性时，她按错了按钮；输入出生日期时，她将月份输到了日期的位置。最后她只好求助于一个年轻的病人，那病人对着她的肩膀结结实实打了一个喷嚏。到她登记完，身后已经排起一条短短的队伍，有人抱怨，有人呻吟。屏幕上跳出一行字：请咨询主接待台。整条队伍都不约而同地摇摇头。

接待员又一次忙不迭地道歉。莫琳平时看的医生临时有任务不在，但她可以选择看一个代理医生。

“为什么我刚来的时候你不告诉我？”莫琳大声说。

接待员开始念叨第三遍道歉辞。“都是那个新系统，”她说，每个人都要通过这个系统才能查询出结果，“连领养老金的老人也一样。”她问莫琳愿不愿意第二天早上再来一次，莫琳摇了摇头。如果回去，不知道还能不能鼓起这勇气再来一趟。

“您要喝杯水吗？”接待员说，“您脸色有点苍白。”

“我坐一会儿就好。”莫琳说。

戴维说她能自己离开屋子，这当然是对的，但他不知道一路上的焦虑有多难熬。并不是因为她想念哈罗德，她告诉自己。但独自一人走在外面这个世界的确是一个新挑战，叫人害怕。无论走到哪里，人们都做着最平常不过的事情：开车、推婴儿车、遛狗、回家。仿佛生活一点没变，可明明就变了。这是一个新世界，一个不对劲的世界。她将扣子直扣到脖子那里，翻起衣领包住耳朵，但空气依然凛冽，天空太开阔了，周围的形形色色太强烈了。她趁雷克斯没有看见她冲出了福斯桥路，一口气逃到市中心。码头旁的水仙枯黄了，花瓣皱起来，连春天都要结束了。

在候诊室里，她试着看杂志，但读到的只是一个个分离的单词，连不成有意义的句子。她注意到身边那些与她同样年纪的夫妻坐在一起，相互陪伴。空气中的微尘在午后的阳光中回旋飞舞，好像有人在用勺子不断地搅动一样。

一个年轻人打开诊室门叫了一个名字，莫琳继续坐着，想是谁这么久都没有反应，突然才意识到医生喊的是自己的名字，忙站起来。那代理医生看来刚刚才毕业，连那套深色的西服也撑不起来。他的鞋子擦得锃亮，突然让她想起戴维上学时穿的鞋子，心里一阵刺痛。真后悔向戴维求助，待在家里多好。

“有什么可以帮您吗？”代理医生深鞠一躬，声音细不可闻。一句话就这样无声无息地从他一开一合的嘴唇里滑出来，莫琳要努力将身子探前去才能听到。搞不好待会儿他会给她安排一个听力检查呢。

莫琳开始向他解释丈夫如何为一个二十年没见的女人离家远走，并且坚信自己的行为可以治好她的癌症。他已经走了十一天了，莫琳絮絮说着，手里的手帕拧成一个结。“他不可能走得到贝里克的。没有地图，又没有合适的鞋子，连手机都没带。”一口气向陌生人说完一切，她不能自已，几乎哭了出来。她鼓起勇气偷偷瞄了医生一眼，他就像刚被人狠狠踩过一样，眉头的川字像用黑笔填过。

他慢慢开口，好像在寻找合适的词汇：“您丈夫以为他正在拯救一个旧同事？”

“是的。”

“治好她的癌症？”

“没错。”莫琳不耐烦起来。她要的不是解释，而是他马上可以理解。她来这里又不是为了帮哈罗德辩护。

“他认为自己可以怎样救她呢？”

“他好像觉得徒步走过去就可以救她。”

他的脸沉下来，这下子下巴上也多了几条深深的线：“他以为走一段路就可以治愈癌症？”

“是一个女孩子给他的启发，”她回答，“在一个加油站里，她还给他做了个汉堡。哈罗德在家从来不吃汉堡的。”

“一个女孩子告诉他，他可以治好癌症？”再这样下去，这可怜的男孩恐怕整张脸都会掉下来。

莫琳摇摇头，试着厘清条理，突然感到一阵疲惫。“我很担心他的身体。”她说。

“他身体还健康吗？”

“他有点近视，两颗门牙都补过。但我担心的不是这个。”

“他认为可以通过走路治好癌症？我不明白。他有宗教信仰吗？”

“他？他只有在倒车不小心轧到花园时才会叫上帝。”她笑了一下，让他知道自己是在开玩笑。医生看起来更迷惑了。“哈罗德六个月前退休了，退休后他就变得非常——”她停下来，努力搜寻合适的字眼，“——安静。”她说。

“安静？”他重复。

“每天都坐在同一张椅子上。就这样，一整天。”

代理医生的眼睛亮起来，孩子气地点一下头。“我知道了。抑郁。”他一下拿起笔，拔掉笔盖。

“我想不是抑郁，”她感觉到心跳加快了，“问题是，他有老年痴呆。”喏，她说出来了。

代理医生的嘴张开了，下巴发出惊慌的一声“咔”。他将笔放回桌面，没有盖上笔盖。

“他有老年痴呆，还要走路去贝里克？”

“是的。”

“弗莱夫人，您先生目前吃的是什么药？”一段肃穆的沉默，莫琳打了个寒战。

“我说的老年痴呆，”她慢慢开口，“还没确诊。”

代理医生又放松下来，几乎笑了：“您是不是想说他很健忘？有点老态了？忘记带手机并不代表他有老年痴呆呀。”

莫琳生硬地点点头。很难说哪件事让她更生气，是他刚才说“老态”时向她眨眨眼，还是他脸上现在挂着的那个居高临下的笑容。“他有家族遗传，”她说，“我认得出那些迹象。”

然后她简要说了一下哈罗德的过去：他父亲从战场回来，成了酒鬼，日渐消沉；他父母并不想要孩子；他母亲终于收拾包袱，一去不回；他父亲和好几个阿姨在一起过，在哈罗德满十六岁那天让他离了家；往后很多年，他们都没有再联系。“直到有一天，一个女人突然给我丈夫打电话，说是他的继母，叫他赶紧把父亲领回家，他父亲疯了。”

“是老年痴呆？”

“我给他找了家疗养院，但他没到六十岁就走了。我们去看过他几次，他父亲经常大吼大叫，还乱扔东西，根本认不出哈罗德是谁。现在我丈夫也在朝这个方向发展。不仅仅是健忘，还有其他迹象。”

“他有没有说话时找不到准确的字眼？有没有遗忘整段整段的对话？将东西忘在奇怪的地方？情绪有没有大起大落？”

“有，有。”她不耐烦地挥挥手。

“这样啊。”代理医生咬着下唇说。

莫琳闻到了胜利的味道。她仔细地看着他说道：“我想知道——你，作为一个医生——觉不觉得哈罗德这样做对他自己是一种危险，可不可以阻止他？”

“阻止？”

“对。”她嗓子都紧了，“可以强制他回家吗？”她脑门上的血管一下一下跳得厉害，都开始疼了，“他走不了五百英里那么远的。他救不了奎妮·轩尼斯的。一定要让他回来。”

莫琳的话在沉默中着地。她双手合十放在膝盖上，摆好双腿。来这里要说的已经都说了，但还没有得到想要的东西，所以她需要调整姿势，以控制内心翻腾的不安。

代理医生呆住了。她听到外面有个婴儿大声哭喊，心里希望能有个人将他抱起来。医生开口道：“看来我们有一个特殊个案，需要警方介入。您的丈夫进过精神病院吗？”

莫琳从医生诊室冲回家，羞耻得想吐。对哈罗德的过去以及行走计划的一番解释逼着她头一次从哈罗德的角度去看待这件事情。这个决定是疯狂的，不符合他性格，但绝对不是老人痴呆作祟。如果哈罗德真是出于信念不顾一切地这样做的话，这事甚至还有一丝浪漫的影子。她告诉代理医生自己需要好好想一想，或许只是瞎担心。哈罗德不过是老了一点，他很快就会回来的。或许他已经回来了呢。最后她只让医生给自己开了几片低剂量的安眠药。

走在通向码头的路上，真相如刺破黑暗的光线袭来。她和哈罗德凑合这么些年的原因并不是戴维，甚至不是因为同情。她忍过这些年，是因为无论和哈罗德在一起的日子有多孤独，没有他的世界只会更加孤单。莫琳从市场买了一条排骨和一棵已经开始发黄的花椰菜。

“就这些吗？”收银台的女孩问。

莫琳说不出话来。

她拐进福斯桥路，想着屋子里等待她的寂静。那些没付的账单，咄咄逼人的账单，码得整整齐齐的。她的身体好像越来越重，步子越发慢了。

回到小花园门口，雷克斯正在修剪树篱。

“病人怎么样了？”他问，“好点了吗？”

她点点头，走进房去。

12

哈罗德与骑自行车的母亲

奇怪的是，多年前正是纳比尔先生把哈罗德与奎妮分在了一组。他将哈罗德召到他那包满了木板的办公室，说他想让奎妮下酒吧去查账，因为信不过那个小老板，想突击检查一下。但奎妮不会开车，所以得有人送她过去。他仔细考虑过了，纳比尔边说边抽出一支烟。哈罗德作为资历比较深的销售代表，又结了婚，绝对是不二人选。纳比尔站着的时候双腿跨得很开，仿佛占据更多面积就表示他更强大似的，事实上，他不过是穿着闪亮西装，才到哈罗德肩膀高的老滑头罢了。

除了点头，哈罗德当然没有其他选择。但内心里他很是为这件事紧张。自从文具柜尴尬的一幕，他们再没有说过话。而且他一向将车里的时间看作是自己的私人时刻，毕竟他又不知道奎妮喜不喜欢听广播二台。但愿她在车上不要太健谈。那些男同事已经够他受的了，对女同事他真是一无所知。

“那就这样定了，”纳比尔先生伸出手，又小又湿，握着像一只小小的蜥蜴，“夫人还好？”

哈罗德支吾着回答：“她很好，您的——”他心里慌了起来。纳比尔先生六年里已经娶了第三个老婆，这次是一个金发盘得高高的前酒吧服务员。纳比尔可不喜欢别人忘记自己老婆的名字。

“维朗妮卡很好。听说你儿子进了剑桥？”

纳比尔突然咧嘴一笑，话题一转，哈罗德根本不知道接下来的会是这样一句：“就会死读书的娘娘腔。”他边说边从嘴角呼出一道烟圈，笑嘻嘻地等哈罗德的反应，明知下属不会出言反驳。

哈罗德低下头。桌面上立着纳比尔先生心爱的穆拉诺玻璃小丑系列，有些长一张蓝色的脸，有些慵懒地靠躺在椅子上，有些在弹奏乐器。

“别乱碰，”纳比尔突然举起手一指，像瞄准手枪一样，“那可是我母亲留下来的。”

谁都知道这是纳比尔先生的重要藏品，但在哈罗德眼中，这些畸形的小玩偶诡异极了，四肢与脸庞就像在阳光暴晒下扭曲了的黏土，颜色也凝结了。他不禁有种错觉，它们都在嘲笑他，他心中油然升起一股怒气。纳比尔将烟头往烟灰缸一拧，走到门边。

哈罗德经过时他加了一句："还有，看着点轩尼斯。你知道那些婊子都是什么破德行。"他用指尖点一下鼻子，此刻他的手又成了某个他们共享的秘密的指针，而不是手枪了。只是哈罗德一点也不明白他说的是什么。

他心想虽然奎妮那么能做事，是不是也快要被纳比尔先生赶走了。他从来不太信任比自己能干的人。

几天后就是他们第一次合作的日子。奎妮抓着她的方形手袋上了哈罗德的车，仿佛两人要去超市购物，而不是去酒吧查账。哈罗德认识那个酒吧老板，那人最多也只能算是个靠不住的家伙。他真为奎妮担心。

"我听说你会捎我一程，弗莱先生。"她稍稍有点冷淡地说。

两人一路沉默。她坐在副驾驶位上，姿势非常端正，双手握成两个粉红色小球，放在大腿上。哈罗德从来没试过这么小心地拐弯、踩离合、拉手刹。到达后，他跳下来打开副驾驶座的门，等着她的脚慢慢地伸出来，踩到地上。莫琳的脚踝非常小巧，是哈罗德的软肋。奎妮却有着厚重的脚踝，跟他的脚踝一样，哈罗德想。她缺乏一些女性化的身体特征。

他一抬头，尴尬地发现奎妮正盯着他。"谢谢了，弗莱先生。"她终于开口说了一句话，然后挽着手袋踏着小碎步离开了。

哈罗德正在检查啤酒库存，突然惊讶地发现酒吧老板满头大汗地过来了，脸涨得像甜菜根一样红。

“操，”他说，“那女人简直是个怪物，什么都瞒不过她。”

哈罗德突然生出一丝钦佩，还有小小的骄傲。

回程路上，她又回到沉默静止的状态。哈罗德甚至怀疑她是不是睡着了，但如果她还醒着，发现他去看她，又显得十分鲁莽。车子在酿酒厂停车场慢下来时她突然说了一句：

“谢谢。”

哈罗德含糊地嘟囔了一句“很乐意帮忙”之类的话。

“我是说上次谢谢你，在文具柜那次。”

“不用介意。”他回答，真心不想再提这事。

“我当时非常低落。你人太好了，我早就该道谢的，但始终有点尴尬。真不该这样。”

他无法直视她的眼睛。即使没看，他也知道她一定咬着嘴唇。

“我很高兴能帮一点忙。”他又将驾驶手套的摁扣重新摁上。

“你是一个正人君子。”她慢慢地说，哈罗德第一次听到了这个词组真正的意思：正人，君子。说完，她就在他帮她开车门之前下车走了。他凝视着她穿着棕色套装的背影，利索地稳步穿过停车场，这景象让他心痛：她就是有这样一种诚实的朴素。那晚上床后哈罗德偷偷向自己保证：无论纳比尔先生到底因何对奎妮粗鲁评价，他下次都要站出来为她说话。

莫琳的声音穿过卧室里的黑暗传过来：“今晚你可别打鼾。”

第十二天，一层厚厚的乌云灰压压地盖住天地，一场又一场的豪雨几乎要将所有东西的颜色轮廓都打掉。哈罗德望着前方，努力寻找一点方向感，或是乌云间透出的一丝光亮，但感觉就像是隔着家里厚厚的窗帘企望看见外面的世界一样。视野里只有无止无尽的雨。他不再参考他的旅行指南，因为它们无所不知，而他自身一无所知，二者之间的差距太难以忍受了。他感觉整个身体都在和他作对，而他已经快要被打输了。

衣服全湿了。脚上的鞋子吸饱了水，形状都变了。维特内、维斯特莱、维特伯，原来有这么多地名以“维”字开头。他把剃须刀和剃须膏忘在小旅馆的公共厕所里，也没精力重新买了。仔细检查一下双脚，他发现小腿上的疼痛已经变成看得见的问题：皮肤下出现了一条触目惊心的深红色。哈罗德第一次真真切切地害怕起来。

到森弗路德，哈罗德给莫琳打了个电话。他需要听听她的声音，还需要她提醒他此行的目的，即使她说的一切只是出于愤怒。哈罗德不想让莫琳察觉自己心中的犹豫和小腿的状况，所以他只问了她和房子的情况。她回答一切都好。她问他是不是还在路上，他说自己已经过了埃克赛特和提伯顿，正取道陶顿向巴斯进发。她问需要她给他寄什么吗？手机、牙刷、睡衣、替换的衣服？她的声音透着一种温和，但他肯定只是自己想多了。

“我很好。”他说。

“那你应该快到萨默塞特了吧？”

“我不确定，但应该快了吧。”

“今天走了多远？”

“不知道，大概七英里吧。”

“好，好。”她说。

雨打在电话亭顶上，窗外昏暗的灯光化成了液体。他想留下来，好好和莫琳聊聊，但没有可说的话了。两人之间培育了二十年的沉默与距离已经太深太远，连老生常谈都感觉空洞，直刺人心。

终于她说：“我要挂了，哈罗德。有很多事情要做。”

“是，是，我也是。就是给你打个招呼，看看你是不是一切都好。”

“哦，我很好，就是忙。时间一晃就过去了，我几乎都忘了你不在。你呢？”

“我也很好。”

“那就好。”

“是啊。”

最后实在无话可说，他道了再见，因为那好歹也算是一句话。其实他并不想挂机，就像他不想继续走下去。

他看向外面的雨，等它停下来。一只乌鸦低着头，身上的羽毛湿得发亮，像颗星星。他希望它动一下，但它只是站在那里，孤零零的，浑身湿透。莫琳忙得几乎忘了他不在。

星期天哈罗德醒来时已近中午，腿上的痛楚并未好转，窗外的雨亦没有减缓。他听到外面整个世界兀自运行的声音：车流、人流，都在奔向自己的方向。没有人知道他是谁，他在哪儿。他躺在床上，不想动，不想面对这一天的任务，但他知道自己已经无路可退。他回忆起从前莫琳睡在他身边，想着她没穿衣服的模样，那么完美、那么纤瘦。他怀念她柔软的指尖滑过皮肤的触感。

哈罗德摸索着找到帆船鞋，鞋底已经磨得像纸一样薄。他没有剃须，没有洗澡，也没有检查双脚，穿鞋子时感觉就像是勉强将双脚塞进小一号的盒子一样。他穿戴停当，脑子完全放空，因为无论想什么，都只会得到一个显而易见的结论。老板娘招呼着叫他吃顿早餐，哈罗德拒绝了。如果他接受这份好意，哪怕他只是允许自己和她有一刻的眼神接触，哈罗德都怕自己会哭出来。

他从森弗路德出发，每一步都走得十分艰难。他任由自己的脸庞因疼痛而扭曲，随便旁人怎么想吧，反正他只是个局外人。身体在呐喊，渴求休息，他没有停下来，他气自己这么脆弱。大片大片的雨迎面打在身上，脚上的鞋子烂得和没穿没什么两样。他真想念莫琳。

事情是怎么走到今天这个地步的？曾经他们也有过快乐的日子。随着戴维一天天长大，他们之间出现了一道越来越宽的裂痕，仿佛两件事是有关联的。莫琳太会做母亲了，她当然会和孩子站在同一阵线。“戴维呢？”有时莫琳这样问，哈罗德会简短地回答说他刷牙时听见门响了一下。“噢！对的。”她会这样回答，故意表现得好像刚满十八岁的儿子大晚上跑到外面游荡不是什么问题一样。如果他诚实地道出担心，恐怕只会让她更加忧虑。那时她还愿意下厨，那时她还没搬出房间。

就在奎妮消失前夕，一切才终于四分五裂，分崩离析。莫琳埋怨，抽泣，拳头一下一下捶在他胸口：“你还是个男人？”她这样号叫。还有一次她对他说：“都是你，一切都是你。如果不是你，什么都会好好的。”

听着这一切真是让人心如刀割。即使她事后在他怀里哭着道歉，但话已出口，覆水难收。一切都是哈罗德的错。

然后就没了。沟通、吵闹、目光交流，都没了。她甚至无须把话说出口，他只要看她一眼就知道自己无论说什么做什么都不管用了。她不再责怪哈罗德，不再在他面前哭泣，不再让他抱着她换取安慰。她将衣服搬到客房，他躺在两人当初结婚时买的床上看着，无法走近她，却又被她的抽泣声折磨着。太阳升起来，他们会错开上厕所的时间，他穿衣吃早饭，她则在几个房间穿来穿去，仿佛他不存在，仿佛只有忙忙碌碌不停下来才能按捺住内心的呐喊。“我走了。”“好。”“再见。”“今晚见。”

那些句子其实一点实际意义都没有，还不如直接说外语呢。两个灵魂之间的裂痕是无法弥补的。退休前最后一个圣诞，哈罗德向莫琳提议要不要一起参加去酿酒厂的庆祝派对，她反应过来后张大嘴死死盯着他，好像他对她做了什么似的。

哈罗德不再望向天空、山麓、树木，不再寻找能标示这趟旅程进展的标志物。埋头逆风而行，看到的只有雨，因为天地之间剩下的也只有这无穷无尽的雨了。A38国道比想象的难走太多，虽然他只在路肩上走，尽量选择栅栏和路障背后的路，但来往的车辆总是太快，溅起的水花每每打得他浑身湿透，险象环生。过了几个小时，哈罗德突然发现，沉浸在过去的悲伤和回忆中的自己，已经朝着错误的方向走了两英里。他没有其他选择，只好原路折返。

重走来时的路比第一次更加艰难，好像总在原地打转。痛楚更强烈了，每走一步，都好像在噬咬身体。到巴格利坪以西，他终于放弃，在一家挂着“提供住宿”的农舍前停下来。

主人是个一脸担忧的男人，告诉他还有一间空房。剩下的租给六个骑单车跨越整个英格兰的女人了。“她们全都有孩子，”他说，“给人一种感觉，她们这回终于可以放松放松了。”他提醒哈罗德在这里最好低调一点。

哈罗德这一觉睡得很差。他又开始做梦了，隔壁那群女人好像在开派对，他醒醒睡睡，既担心小腿的状况，又很想忘掉这个担忧。那群女人的声音渐渐变成了当年父亲身边一个又一个女伴的声音，有嬉笑声，还有父亲终于释放那一刻的哼声。哈罗德眼睛睁得大大的，小腿一跳一跳，祈祷这一晚赶紧过去，祈祷自己身在其他任何地方。

早上，腿疼又加剧了。脚跟上方的皮肤透出一条条紫色的斑痕，整只脚肿得几乎塞不进鞋子里。哈罗德用力一挤，疼得打了个寒战。镜子里的自己皮肤晒伤了，满脸胡茬儿，形容枯槁，一脸病容。这一刻他能想到的只有父亲在疗养院里的模样，连脚上的拖鞋都穿反了。“跟你的儿子打招呼呀。”看护说。他看着自己的儿子，全身抖起来。

哈罗德本想在那些骑自行车的母亲起来之前吃完早餐，然而正在他要喝咖啡的当儿，一群身穿荧光紧身服的身影伴着一阵响亮的笑声出现了。

“你知道吗，”其中一个说道，“我都不知道自己是怎么爬回那辆单车上的。”其他几个闻言都笑了。六个人里面她声音最大，看起来是她们的头头。哈罗德希望保持沉默可以被她们忽略，但她捕捉到他的眼神，向他眨了眨眼：“希望我们没有打扰到你。”

她肤色较深，脸上没有什么肉，轮廓很突出，头发短得可以看见发白的头皮。哈罗德不禁希望她能戴一顶帽子。这群姑娘是她生存下去的鼓励，她这样告诉哈罗德，如果没有她们，她都不知道自己现在会在哪里。她带着小女儿住在一间小公寓里。“我不是只求日子安稳的那种人，”她说，“我不需要什么男人。”接着她罗列了一堆没有男人也可以做的事情。好像列了一长串，但她说得实在太快，哈罗德要很专注地看着她的嘴型才能明白。腿上这样疼还要努力去看、去听、去消化，真不是一件易事。“我就像一只鸟儿一样自由。”她边说边张开双臂示意，腋下的黑毛露了出来。

四周响起一圈口哨声，还有几句“好样的”。哈罗德觉得自己最好捧一下场，但最终只拍了几下手。女人大笑着和她的几个同伴击掌，哈罗德忍不住为她这种独立特有的狂热担心。

“我想和谁睡就和谁睡。上周才和我女儿的钢琴老师睡过，有一次我参加瑜伽静修还和一个发誓禁欲的佛教徒睡了呢。”几个母亲喝起彩来。

哈罗德只和莫琳一个人在一起过。即使她将菜谱都丢掉，头发剪短，即使她晚上睡觉把房门锁起来，他都从来没想过去找其他人。他无法想象没有她的生活，那就相当于将他生活中有生命的部分裁掉，整个人只剩下一个空空的皮囊。他突然发现自己正在向那个母亲道喜，因为实在不知道说什么好，他接着就起身想离开。一阵热辣辣的刺痛击中他的腿，哈罗德绊了一下，扶住桌子。他赶紧顺着动作假装自己其实是想挠一下手臂，用力忍住腿上一阵一阵的刺痛。

“一路顺风。”那个骑自行车的母亲说道。她站起来抱了哈罗德一下，身上有一阵橘香和汗味混合的气味，有点醒神，又有点刺鼻。她边笑边抽身，双臂挂在哈罗德肩膀上：“就像鸟儿那么自由。”脸上也满满写着自由二字。

哈罗德感到一阵寒气。他看到她手臂上爬满了粉色的、柔软的疤痕，有些还挂着未脱落的黑痂。他僵硬地点点头，向她道了声好运。

还没走上十五分钟，哈罗德已经觉得非停下来让右腿休息一下不可。背、肩、颈、手臂，都酸痛得叫他无法集中精神。钉子一样的雨打在屋顶、路面，回弹到他身上，他不闪也不避。才一个小时，他就已经一步一拐，渴望停下来。前面有树，还有一点红，也许是面旗子。人们总在路上落下最奇怪的东西。

雨水将头顶的叶面洗得闪闪发亮，空气中弥漫着一股和脚下腐烂的软叶相似的气味。离那一点红越来越近，哈罗德微微弯下身子。这不是红旗，是一件挂在木头十字架上的利物浦球衣。

一路上他也见过几个放在路边致哀的物件，但没有一件像这件球衣一样触动他。他叫自己绕道另一边，不要看它，但终于情不自禁。他被它吸引住了，仿佛这是不该多看的禁忌。很明显，一位亲人或好友用闪闪亮的小玩意在十字架上搭了一个圣诞树的形状，还挂了一个塑料冬青环。哈罗德仔细观察那些包在玻璃纸里枯萎了的花，已经流失了颜色。还有一张装在塑料夹里的照片，照片中的男人四十来岁，壮硕、黑发，一个孩子搂着他的脖子挂在他身上。他对着相机笑得很开怀。湿透的卡片上写着一句话："致世上最好的爸爸。"

给最糟糕的爸爸该写什么悼词？

"操你，"戴维嘴里挤出一句话，双腿不听使唤，差点从楼梯上摔下来，"我操你！"

哈罗德用手帕干净的一角擦去照片上的雨水，再把花束上的雨水拂去。接下来的路，他满脑子只能想到那个骑自行车的母亲。是怎样的孤独，才会促使她在自己手臂上划下一道道伤痕，任红色的血流出来？又是谁发现了她，是怎样把她救回来的？她想被救回来吗？抑或正当她以为自己已经成功逃离了生命的一刻，他们又强硬地将她绑了回来？哈罗德希望自己刚才说点什么，让她永远别再考虑这条路。如果他出言劝解过，此刻就可以把她放下了。如今见过她的面、听过她的声音，心上又多了一道重量，他实在不知道自己还能再承受多少了。他努力忽视腿上的疼痛，刻骨的寒冷，脑子里的混乱，逼自己步子再迈大一点。

临近傍晚的时候，哈罗德到了陶顿的郊区。这里的房子密密麻麻地叠在一起，顶着圆圆的卫星天线。窗内一律挂着灰色的窗帘，有些还装了金属防盗网。水泥森林中仅有的几片小花园都被雨打平了，一棵樱桃树的小花被打落一地，像散落于人行道上的湿纸屑。经过的车辆那样快，那样响，刺得人耳朵都痛起来，路面像刷了层油一样。

哈罗德最恐惧的一段回忆又冒了出来，他试着转念想奎妮，但没有用。他一鼓作气，越走越快，手肘摆动的幅度越来越大，脚步按在地面的力度越来越强，连呼吸都忘了跟上，但没有什么能帮他逃避二十年前那段回忆——那个结束了一切快乐的下午。他看到自己伸手推开那扇木门，感觉到阳光落在肩上的温暖，闻到空气中微微发酵的温热的气味，听到那异于寻常的宁静。

“不要！”他张开双臂在雨中挥打。

突然他感觉小腿像炸开了一样，包裹着肌肉的皮肤仿佛被撕裂开了。地面突然升起，他伸出手想挡，但膝盖在这时不由自主地弯曲了，他整个人一下子跪倒在地上。手掌和膝盖狠狠地痛起来。

原谅我，原谅我，原谅我让你失望。

接下来他知道的，就是有人用力拽起他的双臂，开始大声喊救护车之类的话。

13

哈罗德与医生

这一跤摔破了哈罗德的手掌和膝盖，两边的手肘也摔肿了。救下哈罗德的女人是在浴室透过窗子看见了外面缓缓倒下的哈罗德。她将哈罗德扶起来，简单查看一下塑料袋里的东西，便扶他过了马路，一边朝来往的汽车不断挥手，“医生！医生！”地喊。回到屋里，她将他放在一张舒服的椅子上，解开他的领带。房子很是疏落冷清，一台电视机立在包装箱上面，旁边有条狗正朝着一扇关着的门狂吠。哈罗德一向有点忌惮狗。

“我有没有打碎什么？”他说。

她讲了几个字，哈罗德没有听懂。

“有一罐蜂蜜，”他更紧张地问，“有没有摔碎？”

女人点点头，伸手摸摸他的脉搏。她把手指放在哈罗德的手腕上，小声数着，双眼盯着前方，仿佛能穿过墙壁看到什么似的。她很年轻，但脸上颇透着风霜，运动衫裤空荡荡地挂在身上，应该是别人的衣服，也许是个男人的。

“我不用看医生，”哈罗德沙哑着声音说，“请不要叫救护车或医生什么的。”

哈罗德并不想进这个人的家，占用她的时间，也不想和一个陌生人有过多的接触，最怕她会将他送回去。他想和莫琳说说话，又不知道说什么才不会麻烦到她。真希望刚才没有摔一跤。他本来想继续走下去的。

年轻女人递过一杯茶，将杯子的把手对着他，好让他别烫着手。她在说话，哈罗德听不清她在说什么，所以试着挤出一个微笑。但她一直看着他，等他回答。终于她又说了一遍，这回音量大了一点，速度也慢下来：

“你他妈在这种天气跑到外面干什么？”

哈罗德发现，原来她有很浓重的口音，也许是东欧那边来的。他和莫琳在报纸上看到过这些人的新闻，上面说他们是来这里找好处的。这时她养的狗吠得越来越厉害，简直像头野兽，它把它整个身体的重量都压在那个临时的笼子上，一旦挣脱，肯定会咬伤他们至少一个人才会罢休。新闻里也报道过这种事情。

哈罗德向女人保证喝完这杯茶他就会继续上路。他讲了旅程的因由，女人静静地听着。这就是他不能停下来或者看医生的原因，他答应了奎妮，绝对不能食言。哈罗德呷一口茶，望向窗外。一株巨大的树立在窗户前，庞大的根系也许正在蚕食房子的根基。要修整一下了。路上的车子一辆接一辆呼啸而过。回到外面这个想法让他恐惧，但没有其他选择了。哈罗德回过头，发现年轻女人依然看着自己，脸上还是没有一丝笑容。

“但你的情况糟透了。”不带任何情绪或评判的语气。

“是。”哈罗德说。

“你鞋子都烂了，我看你身体也差不多了，还有眼镜。”她一手拿起一片眼镜，“无论从什么角度看，你的情况都糟透了。你怎么还以为能走到贝里克？”

这让他想起戴维咒骂他的方式，好像经过了仔细斟酌后，他父亲给他的印象只配用最肮脏污秽的字眼。

“我的确——就像你说的——糟透了。”他低下头。裤子满布泥点，膝盖那里磨破了，鞋子完全湿透，他后悔没有在门外脱掉鞋子再进来。“我承认贝里克很远，我没有合适的装备，也没经过什么训练，但或许有一天你也会做一件毫无逻辑可言的事。人们会说你为什么要这么做？那时你可能就会想起我，然后坚持下去。”他顿了一下，因为说这番话给他带来痛苦，“真抱歉，我的鞋子弄湿了您的地毯。”

让哈罗德吃了一惊的是，当他抬眼再偷偷看那女人时，发现她笑了。她主动提出屋子里还有一间房，可以给他留宿一晚。

上楼梯前，她踢了一下关着恶狗的笼门，让哈罗德跟上。他既怕那条狗，又不想女人为自己的病痛担心，努力赶上她的脚步。事实上，他的膝盖和手掌摔跤之后一直针刺般痛，右腿也无法承受任何重量了。女人告诉哈罗德她的名字叫玛蒂娜，来自斯洛伐克。她恐怕他得忍受一下“这狗窝”和嘈杂的噪音了，她说。“我们原以为这只是个临时的落脚点。”哈罗德努力摆出一副很习惯这种措辞的表情，不想表现得很喜欢随便评判别人。

“我说太多脏话了。”她仿佛读懂了他的思想。

“这里是你家，玛蒂娜。当然怎么舒服怎么说了。”

楼下的狗仍在嚎叫，不停用爪子抓门。

“闭上你他妈的狗嘴！”她喊道。哈罗德能看见她牙齿上的菜屑。

“我儿子想要一条狗很久了。”他说。

“那不是我的，是我父母的。”她一把推开一扇门，站到一边让他进去。

房间很空，油漆味还没散尽。墙面是全白的，床单和窗帘配了一样的紫色，枕头上有三只同色的装饰抱枕。虽然诸多抱怨，玛蒂娜仍然细心地打理房间里的布艺品，这让哈罗德很感动。外面那棵树的枝叶已经压到了窗上。她说希望哈罗德在这里待得舒服，哈罗德赶紧回答会的，会的。终于房间里只剩下他自己一人，哈罗德躺上床放松身体，感觉每一丝肌肉都在跳动。他明知自己应该检查一下伤口，用水洗洗，但他实在没有足够的意志力去动弹了。他连脱鞋的力气都没有了。

实在不知道这样的境况该怎么走下去。他害怕了，感觉十分孤单。这让他想起十几岁时，父亲在家里喝酒，摔瓶子，和一个又一个阿姨做爱，而他只能躲在自己的房间里。他宁愿自己刚才没有接受玛蒂娜的好意。兴许她已经给医生打电话了呢。他能听得到楼下传来她的声音，但无论怎么努力，他都听不清她在说什么。或许她在和男朋友通话呢，或许她男友会坚持让她把哈罗德送回家。

哈罗德从袋子里将奎妮的信抽出来。没有了老花镜，信上的字一个个都是重的。

亲爱的哈罗德：这封信也许会让你小吃一惊。我知道我们已经很久没见了，但最近常常不自觉地想起过去。今年我做了一个手术，切除了肿瘤，但癌细胞已经扩散，没有什么可以做的了。我现在很平静，很舒服，但还是想谢谢你多年前的友谊。请代我问候你的夫人。我还十分想念可爱的小戴维呢。祝一切安好。

他几乎可以听见她沉稳的声音，就像她站在跟前一样，但那可怕的羞耻感又来了。他让一个这样好的女人失望了，而且没有尝试作任何补救。

“哈罗德，哈罗德！”

他一定要去那里，到贝里克去！他要找到她！

“你没事吧？”

他动了一下。这不是奎妮，是这个房间的女主人，玛蒂娜。哈罗德发现分辨过去和现实越来越难了。

“我可以进来吗？”她喊道。

哈罗德试着站起来，还没起身，门就被推开了。来人正好看到他奇怪的姿势，身子一半在床上，一半在地上。她站在门框下，手里捧着一盆水，两条毛巾搭在手臂上。她还带了一个塑料急救箱。“让我看看你的脚。”她向帆船鞋的方向点了点头。

“可不敢劳驾您帮我洗脚。”哈罗德这下完全站起来了。

“我不是来这里洗脚的，但你走起路来很不对头，我要看看。”

“没事，真的什么问题都没有。”

她不耐烦地皱起眉头，把水盆架在胯骨上分担一点重量，说：“那你是怎样处理伤口的？”

“贴一点胶布。”

玛蒂娜笑了，但不是因为觉得这件事情可笑。“如果你要走到他妈贝里克那么远，我们就要好好侍弄你这双腿，哈罗德。”

这是第一次有人把这段艰辛的旅程说得好像是两人共同的责任一样。哈罗德感激得几乎流下泪来，但他只是点点头，往后坐下。

玛蒂娜跪下，扎起马尾辫，小心地将其中一条毛巾在地毯上张开，抚平褶皱。唯一的声音来自过路的车子和窗外的雨，雨水狠狠地打在树枝上，树枝又撞到窗户玻璃上。天色昏暗了，但玛蒂娜没有点灯，只是伸手掬成杯状，等着。

哈罗德脱下鞋袜，忍痛弯身撕掉新近贴上去的膏药。他能感觉到她在仔细检查。当他将双脚并排放在一起，第一次以陌生人的角度去观察时，忍不住吃了一惊，好像才发现已经到了怎样一个境况：双脚泛着一层不健康的白色，几乎发灰；袜沿在脚腕箍出一圈粉色的痕迹；脚趾、脚跟、脚背上都有水泡，有些在流血，有些已经化脓；大脚趾的指甲像马蹄一样粗糙，近鞋头的位置还有一道蓝紫色的瘀血；脚跟上起了厚厚一层硬皮，有些地方裂开了，也在流血；还有一股味道，他赶紧屏住气。

“您看够了吧。”

“还没哪，”她说，“裤腿卷起来。”

裤子拂过右小腿时一阵灼热，哈罗德哆嗦了一下。他还从来没让陌生人碰过他的皮肤呢。哈罗德想起结婚那晚自己站在镜子前，看着自己的胸膛皱眉，担心莫琳会失望。

玛蒂娜还在等：“没事的，我知道自己在做什么。我受过训练。”

哈罗德下意识地将右腿收到左腿后面藏起来：“您是说，您是个护士？”

她冷笑着看了他一眼：“医生。现在女人也可以当医生。我在斯洛伐克一家医院实习过，就是在那里遇到我男朋友的。哈罗德，把你的脚给我。我不会逼你回家的，我保证。”

他没有其他选择了。她温柔地抬起他的脚踝，哈罗德能感觉到她手心的温暖与柔软。看到右脚踝上的瘀青，她一震，停下来凑过去看清楚一点。手指在受伤的肌肉上按过，哈罗德马上感觉到火烧一样的痛楚从右腿传来。

“疼吗？”

他必须收紧臀部才能勉强忍住脸部因疼痛而扭曲：“还好。”

她举起他的腿，观察小腿下方：“瘀青一直延伸到你膝盖后面了。”

“不疼的。”他又说。

“如果你这样走下去，会越来越坏的。这些水泡也需要好好处理一下。大的那些我会刺穿让它流干。然后我要把你的腿包起来。你要学着怎样自己包扎。”

他看着她用针头把第一个脓包刺穿，没有一丝畏缩。她将脓液挤出来，小心翼翼地保留挂在伤口上的表皮。哈罗德任她将左脚放进温水里，这是一个极其私密的举动，几乎只发生在她和这只脚之间，与他余下的其他部分无关。他抬头望向天花板，以免不小心看到不该看的东西，这实在是非常英式的做法，但他还是这么做了。

他一直都有点太“英式”了，这里的英式是乏善可陈的意思。他是个缺乏色彩的人。别人都有有趣的故事可说，有有趣的问题可问。他不爱发问，生怕冒犯他人。他每天都系领带，有时也会纳闷自己是不是太执着于一套甚至不知道是否仍然存在的规则。如果他受到过足够的教育，读完预科，升上大学，事情或许会不一样。但十六岁生日那天，父亲丢给他一件大衣，就把大门指给他，让他离开了。大衣也不是新的，有着浓浓的樟脑丸气味，内衬袋子里还有一张公共汽车票。

“想到他要走就蛮伤心的。”希拉阿姨这样说，虽然她并没有哭。在所有阿姨里，他最喜欢这个阿姨。她弯下腰亲了亲他，身上传来阵阵香气，哈罗德赶紧走开几步，以免做出拥抱她这种傻气的举动。

童年时代的结束让他如释重负。虽然他做了所有父亲没有完成的事——找到工作、娶妻生子、赡养家庭、深爱他们，即使只是刚刚做到——但有时他发现早年的沉默其实一路跟着他，进了他们的房子，藏身在地毯下、窗帘后、墙纸内。历史就是历史，你无法逃离你的出身。就算你戴上领带也不会改变。

戴维不就是活生生的例子吗？

玛蒂娜抬起他的脚放在自己腿上，小心翼翼地用柔软的干毛巾将脚印干，而不是擦干，挤出抗生素药膏一点点涂在伤口上。她喉咙下的锁骨心处泛起几点深深的红色，五官因高度专注而微微皱起来。“你应该穿两双袜子才是，一双不够的。怎么连步行鞋都不穿呢？”她低着头问道。

“本来想在埃克赛特买一双的，但反正也走了那么久了，就改变主意了。那时看看脚上这一双，好像也挺好，就没买新的。”

玛蒂娜抬头看他一眼，笑了。他想自己说的话至少把她逗笑了，两人之间好像又近了一点。她告诉哈罗德她男朋友也喜欢徒步行走，两人还计划今年夏天到野外度假呢。“或许你可以借他的旧鞋子穿，他刚买了一双新的。旧的还在我衣柜里。”哈罗德赶紧坚持帆船鞋就很好了，他对它们已经培养了一种忠诚感。

“如果真的起了很严重的水泡，我男朋友会用胶布贴起来继续走。”她用纸巾擦干手，动作利落，叫人看着就放心。

“我猜你肯定是个好医生。”哈罗德说。

她翻了一下白眼：“在英国我能找到的工作就是清洁工。你以为你的脚恶心？去看看我要洗的厕所吧。”两人都笑了。“你孩子后来养狗了吗？”

一种尖锐的疼痛击中他。她停下手抬起头，以为自己按到了受伤的部位。哈罗德绷直身体，调整呼吸，直到自己能再次开口说话：“没有。我也希望他养一只小狗，但没有。二十年前我辜负了他，恐怕让他非常失望。”

玛蒂娜往后一靠，仿佛要调整一下角度：“你的儿子和奎妮？你辜负了他们俩？”

她是过去很长一段时间里唯一问起戴维的人。哈罗德很想说点其他东西，又不知从何说起。此刻坐在一间陌生的房间里，裤脚卷到膝盖上，他突然非常想念儿子。“还不够好。永远不会好了。”眼泪刺痛了他的眼睛，哈罗德眨眨眼，努力忍回去。

玛蒂娜撕开一个小棉球，清洗他手掌上的伤口。消毒水像针一样刺痛了伤口，但是他没动。他让她细细地将双手清洗干净。

玛蒂娜主动借出电话，但信号很差。哈罗德试着解释自己在哪里，莫琳好像听不明白。“你跟谁在一起？”她不停地问。哈罗德不想提起脚伤或摔跤，跟她说一切顺利。时间过得飞快。

他吃了一颗温和的止痛药，但还是睡不好。窗外的车声不停地将他惊醒，被雨打到窗玻璃上的枝叶啪啪作响。他过一会儿就检查一下右腿，希望情况有好转，轻轻调换姿势，又不敢往腿上添加任何重量。他脑子里想着戴维那间挂着蓝色窗帘的房间，他那间衣柜里只有自己衣服的房间，还有莫琳睡的客房，里面充满了她的气味。终于他慢慢闭上了眼睛。

第二天早晨醒来，哈罗德先伸了伸左手左腿，再动动右手右腿，逐个关节活动，再打一个大大的哈欠，双眼都湿了。雨声停了，阳光穿过枝叶射进窗来，在白墙上映下流波一样的树影。他伸了个懒腰，马上又睡着了，直睡到十一点才起来。

玛蒂娜检查完哈罗德的腿，说已经好一点了，但最好还是不要马上开始走路。她给伤口换过药，问他要不要再多留一天，她父母的狗会很喜欢有个玩伴。她还要工作，那条狗太孤单了。

“我以前有个阿姨，也养了一条狗，”他说，“没人的时候它会咬我。”玛蒂娜笑了，哈罗德也笑起来——虽然那是他小时候感觉孤独的缘由之一，也让他吃了几回不轻不重的痛。“在我十三岁生日前几天，我妈离家出走了。她跟着我父亲过得非常不开心，他酗酒，而她心心念念想的就是到处旅游。我记得的就是这么多。她离开以后，有一阵子情况更坏了，隔壁的邻居也发现了。他们很喜欢来安慰他，我父亲突然又风光起来，还带许多阿姨回家。就这样变成大众情人了。”哈罗德从来没有这么坦白地谈起过自己的过去。但愿听起来不要太可怜。

玛蒂娜嘴唇一动，弯出一个笑容：“阿姨？是有亲戚关系的阿姨吗？”

“不是真的阿姨。他在酒吧里认识她们，聊几句，就一起回家里来。家里每个月都换一种香水味，晾衣绳上天天都有不同的内衣裤。我曾经躺在草地上望过去，从来没见过那么美丽的东西。”

她笑得更厉害了。哈罗德注意到玛蒂娜开心的时候整张脸的轮廓都柔软起来，脸颊也会变成一种好看的颜色。一缕头发没有扎进马尾。哈罗德很高兴她没有将它梳进去。

有那么一会儿，哈罗德看到的是莫琳年轻时的脸庞，她仰头看着他，开朗的、明净的、柔软的嘴唇微微张开，等待他接下来说的话。能重新获得她注意的感觉是如此快乐，哈罗德很想再说点什么逗她多笑一点，却想不出来了。

她问："后来你有没有再见过你妈妈？"

"没有。"

"从来没试过找她？"

"有时我也希望我找过她。我想告诉她我很好，万一她担心呢？但她天生不是做母亲的料。莫琳就正好相反，她从一开始就知道怎么去爱戴维。"

他沉默了，玛蒂娜也不说话。交代了这一切，哈罗德觉得很安心。从前和奎妮在一起的时候也是这样。你可以在车里无话不说，深知她会把你的话安全地存在脑海里的某个位置，而且不会妄加评判，或者在以后提起来对付他。他想这就是友谊吧，他突然很后悔回避了这段友谊这么多年。

下午玛蒂娜去做清洁工时，哈罗德用胶布把老花镜粘好，把后门推开，在小小的花园里清出一小片空间来。那条狗饶有兴致地盯着他，不再乱吠。哈罗德找到她父母的园艺工具，修了修草坪的边缘，又把树篱的乱枝剪掉。腿脚走起路来还是很僵硬，又记不起鞋子放到哪里了，于是他光着脚到处走，脚下温暖的灰尘像天鹅绒一样，融化了心中的紧张。不知道时间还够不够把老是打到窗上的枝叶剪一下，但好像太高了，到处都找不到梯子。

玛蒂娜回来时带了个棕色纸袋，里面装着他的帆船鞋，重新钉了个底，还擦干净了。她甚至给它们换了新鞋带。

“在公立医院你可得不到这样的服务。”她说完就走开了，不让他有机会谢谢她。

那天晚上他们一起吃饭，哈罗德提出一定要交一点寄宿费。她对他说明天早上见，但哈罗德摇摇头，告诉她天一亮他就要起程了，以弥补耽搁下来的时间。那条狗蹲在哈罗德脚边，头枕在他的大腿上。“很抱歉没机会见见你的男朋友。”他说。

玛蒂娜皱皱眉：“他不会回来了。”

哈罗德吃了一惊。突然他需要重新审视对玛蒂娜的印象，还有她的生活，这意外的消息太残酷了。“我不明白，”他说，“他去哪里了？”

“我不知道。”玛蒂娜的脸沉下来，推开了盘子，里面的食物还没有吃完。

“你怎么会不知道？”

“我打赌你一定觉得我是他妈的疯了。”

哈罗德想起这一路上见过的人。每个人都与众不同，但没有谁让他感觉特别奇怪。他想到自己的人生，表面上看似再平凡不过的生活，实际上却藏着这么多的黑暗与磨难。“我并没认为你疯了。”他伸出手。她盯着那只手看了好一阵子，好像从来不知道手是用来握的。他们的手指碰到了一起。

“我们一起来到英国，这样他可以更好地打拼事业。才来了几个月，就出现了一个女人，带着两箱行李和一个孩子。她说是他的孩子。”玛蒂娜加大了手上的力度，她的婚戒紧紧压在哈罗德的手指上。“我不知道他另外还有一个女人，也从没听说过什么孩子。他回来时我还以为他会轰他们出去，我知道他有多爱我。但是他没有。他把那个孩子抱起来，忽然间，我发现我并不认识这个男人。我说我要出去走走，回来的时候，他们都离开了。”玛蒂娜的皮肤苍白得可以看见她眼皮上的血管。“他丢下了所有东西，他的狗，他的园艺工具，连新买的鞋子都不要了。他很爱徒步的。每天早晨我醒来就想，今天是他回来的日子。但他从来没有出现。”

有好一会儿屋子里只有沉默。哈罗德又一次吃惊于生活远不像表面那样风平浪静，又可以怎样在一瞬间不复从前。

“也许他会回来呢。”

“他不会了。”

“谁知道呢。”

“我知道。我一直等一直等，他从来都没回来过。”

她用力吸了一下鼻子，仿佛感冒了，虽然根本无法自欺欺人。“但是看看你，你要走路去贝里克郡呢。”他担心她又要指出他不可能成功，但她说的是：“如果我有哪怕一丁点你那种信念就好了。”她一动不动地坐着，哈罗德知道她是沉浸在过去中了。他还知道自己的所谓信念，实际上不堪一击。

哈罗德收拾了碗碟，走进厨房打开热水，将所有脏盘子都洗了。他把剩下的饭菜喂了狗，想着玛蒂娜在等一个永远都不可能回来的男人。又想起自己的妻子，将看不见的污渍洗得干干净净。他突然有一种奇怪的感觉，好像自己更了解她了，而且很想跟她说话。

稍后，他正在房间里整理塑料袋，走廊里传来一阵轻轻的脚步声，有人敲了敲门，是玛蒂娜。她递给他两双徒步专用的袜子和一卷蓝色胶布，又给他背上一个空的登山包，再塞了个指南针到他手里。这些东西一度属于她男朋友。他正想说自己不能接受更多了，她突然凑上前，在他脸颊上印下柔软的一吻，“好好去吧，哈罗德，”她说，“不用交什么租金。你是我的客人。”手中的指南针非常温暖，沉甸甸的。

正如哈罗德前一晚所说，天刚亮他就出发了。他在枕头底下塞了一张明信片，感谢玛蒂娜的照顾；又留下了那套杯垫，因为也许玛蒂娜比奎妮更需要它们。东方的夜空已经破晓，露出一道苍白的光，越来越高，最后布满整个天空。走下楼梯时，他拍了拍那条狗的头。

哈罗德轻轻关上前门，不想吵醒玛蒂娜，但她其实已经站在浴室窗前，紧紧贴在玻璃窗上望着他。她知道自己应该跑出去说服他放弃，因为这注定是一个永远无法实现的疯狂梦想。

他的鞋子会再次走坏，他的腿也根本未痊愈。但她没有这么做。她记得哈罗德谈起旅程时脸上的光彩。她将脸颊贴到窗户上，看着老人家一步步走出她的视线，直到又只剩下她一个人、一条狗和一双新鞋子。

14

莫琳与雷克斯

看完代理医生，莫琳更泄气了。她羞愧地想起二十年前奎妮·轩尼斯造访他们家时的情景，但愿当时能稍微客气一点。

如今哈罗德不在，每个日子过完了又有新的一天，她漠不关心地看着时间流逝，不知道该怎样填满它们。那么多想法和要说的话，根本没人听。刚想起给橱柜的玻璃门打点清洁剂好好擦一擦，又不禁问自己何必呢，反正也没人看。想给卧室里的床换一张床单，又突然意识到有什么意义呢。不管是砰地放下洗衣篮，还是抱怨着即使没人帮忙也能做得好好的，不劳您费心。这一切都已没人看。她打开餐桌上的地图，然而每当她尝试在上面寻找哈罗德的线路，孤独感就更加汹涌地袭来。身体里有一种空洞在蔓延，仿佛她已经不存在于这个现实的世界。

要是戴维有孩子就好了，她可以照看一下他们。现在只有她而已。

莫琳热了一个罐头汤，问自己过去二十年到底哪里出了错。和哈罗德不同，她可是有一个不错的学历的。她修过一个秘书课程，还在戴维上小学时去公开大学自学了一阵法语。曾几何时，园艺是她的兴趣，金斯布里奇路上这片小花园里曾经开满花，结满果。她每天下厨，以发掘新口味为乐。“今天我们吃意大利菜，”她会笑着踢开饭厅的门，向戴维和哈罗德展示手上的意大利芦笋饭，“Buen appetito”（好胃口）。为什么不去旅游？去结识不同的人？为什么不在还能做到的时候享受更多床上的温存？过去二十年，睁着眼的每一刻她都在洗刷、消毒、漂白、灭菌。什么都行，就是不要像现在这样停滞不前。什么都行，就是不要遇上哈罗德。

没有爱的生活不是生活。她把汤推到一边，将脸深深埋入手心。

是戴维提议将哈罗德徒步计划的真相告诉雷克斯的。有天早上他告诉莫琳他考虑了一段时间，觉得将事情说出来对她也许有好处。她笑了，向他抗议她几乎不认识这个男人。但戴维指出雷克斯是他们的邻居，她当然认识他了。

“那并不代表我们有所交谈，”她说，“他们搬来这里才六个月，他的妻子就去世了。况且我也不需要跟别人说什么，我有你呢，亲爱的。”

戴维说这当然没错，但对雷克斯说出真相对她也有好处。她不可能一直把真相藏起来。她正想告诉戴维自己很想念他，他就说她应该马上对雷克斯澄清一切。

“你会常来看我吗？”她问。戴维答应她会的。

莫琳在花园里找到了雷克斯。他正用一把半月形的除草器修剪草地的边缘。莫琳站在隔开两家花园的篱笆旁，篱笆因地势的缘故稍稍有点歪斜。她用轻快的声音问候他最近怎样。

“忙东忙西呗。最好也只能是这样了。哈罗德怎样了？”

“他很好。”莫琳觉得腿在打战，手指也轻了起来。她深吸一口气，好像要开始一番新的长篇大论。“其实，雷克斯，哈罗德不在家。我一直在撒谎，真对不起。”她用手指紧紧按住嘴唇，不让自己多说一个字。她无法直视雷克斯。

沉默中她听到除草器放到草地上的声音。她感觉到雷克斯走近她，开口说话时传来一阵薄荷牙膏的清香：“你以为我没有发现不对劲的地方吗？”

雷克斯伸出手放在她肩上。好长时间没有和任何人接触了，莫琳肩上一松，悲伤突然颤抖着传遍了全身，泪水潸然而下。她什么都不管了。

“不如过来坐坐，我来冲壶茶。”他说。

伊丽莎白的葬礼结束后，莫琳就没有进过雷克斯家。过去几个月，她一直以为那里一定积满了厚厚的尘土，一片混乱，因为男人从来对家事都是视而不见的，尤其是在悲伤的时候。让她吃惊的是，这里一切家具都是闪亮的，窗台上的仙人掌盆栽整齐地排列着，距离完全一样，仿佛用尺子量过。没有堆成堆的未拆信件，地毯上也没有泥脚印子，雷克斯甚至还买了一条塑料保护膜从前门铺进屋里，她记得伊丽莎白在世时还没有这东西。莫琳在圆形镜子里整理了一下仪容，擤擤鼻子。她看起来苍白又疲惫，鼻子像警灯一样闪着红光。不知道儿子听到她在一个邻居面前崩溃会说什么。刚才和戴维谈话的时候，她很努力地忍住了哭。

雷克斯从厨房里叫莫琳在客厅等一下。

“你确定没有什么需要我帮忙的吗？”她问。但他坚持她应该把这里当成自己家，不要拘束。

客厅和走廊一样安静，太安静了。莫琳觉得自己的存在是一种侵扰。她走到壁炉架前，凝视着伊丽莎白的照片。伊丽莎白是个很高的女人，下颌有点突出，笑声沙哑，总是一副在鸡尾酒会上发愣的神情。除了戴维，她从来没有告诉过别人，伊丽莎白总是给她一种压倒性的压力。莫琳甚至不确定她喜不喜欢自己。

一阵杯子叮叮当当的声音，门被轻轻地推开了。莫琳回头，看到雷克斯端着一个托盘站在门口。他稳稳当当地倒了一杯茶，一滴都没洒出来，还准备了一小壶牛奶。

开口以后，莫琳惊讶地发现原来自己对哈罗德的旅程有这么多话可说。她讲到奎妮的信，还有哈罗德突如其来的决定。她告诉他看代理医生的过程，还有她心中的羞辱。“我好怕他不会回来了。”她终于说。

“他当然会回来。”雷克斯说话时，声母都发得很轻，简单利落，让她心情马上安稳下来。哈罗德当然会回来。她突然感到一阵轻松，有想笑的冲动。

雷克斯递给她一个杯子。那是一件很精细的瓷器，放在配套的茶碟上。她想象哈罗德做咖啡的样子，他倒咖啡总爱倒得满满的，让人喝第一口时总是会洒一点出来烫到手。这个回忆也让她想笑出来。

她说：“刚开始我以为是中年危机，只不过因为他是哈罗德，所以总比别人慢一步。”雷克斯笑了。很有礼貌的笑。但莫琳感觉至少打破了尴尬的僵局。他递给她一盘奶油饼干和餐巾纸，她拿了一块，突然发现自己原来饿极了。

“你确定哈罗德做得到吗？”他问。

“他一辈子都没做过这样的事。昨晚他在一个年轻的斯洛伐克女人家过的夜。他根本不认识她。”

“老天。”雷克斯举起手放到嘴边，接住威化饼落下的碎屑，“但愿他一切都好。”

“我看他可好了。”

两人都笑了，又陷入一阵沉默，距离重新出现。他们都朝对方笑笑，气氛更客气了。

“或许我们应该也过去，”雷克斯说，“去看看他是不是一切都好。我的路虎还有油，我可以做些三明治，然后马上出发。”

“也许吧，”莫琳咬着嘴唇，仔细考虑着。她很想念哈罗德，几乎像想念戴维一样想念他。很想见他。但当她考虑到下一步，追上他之后呢？她又开始挣扎。如果他不想她来，她会是什么感觉？如果他真的打算一去不回头了呢？她摇摇头：“事实上我们已经不说话了。不再像从前一样，认认真真地说话。他离家那天早上，我还在唠叨白面包和果酱的问题。果酱！雷克斯，难怪他要离开。”她又难过起来。她想起两人的床，分别放在两间房间里。想起他们的对话都浮在表面，没有任何实质意义。“我们的婚姻已经名存实亡了二十年。”

沉默中雷克斯把杯子举到嘴边，莫琳也做了同样的动作。然后他问：“你喜欢奎妮·轩尼斯吗？”

莫琳没想到他会问这样的问题。她不得不把茶很快地吞了下去，一块还没来得及嚼碎的饼干也被冲进了气管，让她忍不住咳嗽起来。“我只见过她一次，但那是很久很久以前的事了。”她揉着胸口，好像想把饼干碎揉下去，“奎妮消失得很突然，我只记得这个。有一天哈罗德上班回来说会计部换了新会计。是个男的，我想。”

“奎妮为什么会突然消失？”

“我不知道。有一些传闻，但那时候我们在另一个阶段了，他不说，我也不问什么。雷克斯，我们就是这样的人。如今个个都恨不得把自己最黑暗的秘密倒出来，我看着那些候诊室的八卦杂志，头都要晕了。但我们不是这样的。我们也曾经什么都说，包括那些不该说出来的话。但奎妮消失这件事，我并不想知道因由。”

她犹豫了一下，害怕自己是不是坦白了太多，不知道该怎么接下去。“我听说她在酿酒厂做了些不该做的事情，他们老板是个非常难缠的人，不会随便忘记或原谅任何错误。或许她离开反而是好事。”莫琳又看到了奎妮·轩尼斯，她和多年前一样，站在福斯桥路门口，红肿着双眼，递过来一束鲜花。雷克斯家的客厅突然变冷了，她摸摸双臂，伸手环抱胸前。

“不知道你怎么样，”他终于说，“我挺想来一杯雪利酒的。”

雷克斯开车带莫琳来到斯莱顿沙滩上的新始湾酒馆。原本冰凉的酒精喝到嘴里有灼烧的感觉，顺着喉咙烧了一路，放松了她的肌肉。莫琳告诉雷克斯重新踏足酒吧的感觉很奇妙，因为自从哈罗德戒酒以后，她也几乎不喝了。两人都说既然没有做饭的兴头，不如就在这里点个快餐配一杯红酒吧。为哈罗德的旅程碰杯后，莫琳觉得胃里轻飘飘的，让她想起年轻时第一次坠入爱河的感觉。

天还不晚，他们酒足饭饱，又沿着海边走了一段。刚才那两杯酒让莫琳觉得身体暖暖的，脚步有点浮。一群海鸥乘风飞过。在这里有鸣鸟，雷克斯说，还有带冠油鸭：“伊丽莎白对野生动物从来不太感兴趣。她说它们长得都一样。”有时莫琳把他的话听进去了，有时没有。她脑子里想着哈罗德，回味着四十七年前两人初次见面的情景。真奇怪，她把那晚的细节都放到哪儿了，怎么遗忘了那么久？

她一眼就注意到了哈罗德。不可能看不到他，这个人在舞厅中央摇摆，衣袂如翅膀张开，仿佛要把体内锁着的东西都跳出来。她从来没见过这样的人，母亲给她介绍的年轻人个个都了无生气地系着黑领带。或许是感觉到了她的目光，他突然向她看过来，身体继续摇摆。她没有移开眼睛，仿佛被黏住了，吸引她的是那种原生态的能量，他是一个完整的人。他再次停下，看向她，终于曲曲折折穿过拥挤的人群来到她跟前。他站得那样近，她能感觉到他身上散发出的热量。

如今忆起这场景，她仿佛亲眼看着它发生：他微弯下腰，嘴唇贴近她的耳朵，伸手拨开她的一绺头发，才开口说话。这大胆的举动让她感到一股强烈的电流顺着脖子传上来，甚至今日想起，肌肤下仍能感受到那一份悸动。他说了什么？无论说了什么，都肯定是极其有趣的内容，因为两人都笑得歇斯底里，还尴尬地打起嗝来。她想起他转身走向酒吧取水时衣角扬起的样子，想起自己乖乖地站在原地等他。那时好像只有当哈罗德在附近，世界才有光。那两个畅快地又跳又笑的年轻人如今去了哪里？

莫琳意识到雷克斯不说话了。他看着她。

“在想什么？”

她笑着摇摇头：“没什么。”

他们站在一起，望向水面。西斜的太阳朝海岸线划下一道红痕。不知道哈罗德今晚睡在哪里，真想跟他说一声晚安。莫琳沉思着，转回头，在薄暮里寻找今夜第一颗闪亮的星。

15

哈罗德与全新的开始

雨后，万物复苏。树和花都争先恐后爆发出各种颜色和香气：蓊郁的七叶树颤颤巍巍地盛着新生的塔状花絮；白色峨参像圆圆的伞面散落在路边；杂乱的蔷薇从路旁花园探头探脑地伸出来；大朵大朵的芍药像折纸工艺品一样，开得正欢；苹果树上的花开始掉落，小小果子珠玉一般挂在枝头；活泼的风铃草如丰润的流水覆于林地上；蒲公英头上挂满了毛茸茸的种子。

六天里哈罗德坚定不移地走着，穿过奥特里、布尔顿、格拉斯顿伯里、威尔斯、拉德斯托克、皮斯登圣约翰，终于在一个周一的早晨到了巴斯，平均下来每天恰恰走了八英里。他听了玛蒂娜的建议，买了防晒霜、药用棉、指甲钳、膏药止血贴、消毒药膏、鼹皮水泡保护膜和肯德尔薄荷蛋糕，预防万一。他还补充了一下洗漱用品，重新买了一盒洗衣粉，和玛蒂娜给他的胶布一起整整齐齐放进了她男朋友的背包。经过商店看到玻璃墙反射的影像，这男人看起来坚定稳当，哈罗德看了好几眼才确信真的是他自己。手中的指南针始终稳稳地指向北方。

哈罗德相信自己的旅程真正开始了。他还以为在决定向贝里克进发的那一刻就开始了，现在才发现当初的自己多么天真。有些事情可以有好几个起点，也可以用不同的方式开始。有时候你以为自己已经展开了新的一页，实际上却可能只是重复以前的步伐。他直面并克服了自己的短处，所以他的旅程从这一刻真正揭幕了。

每天早晨，太阳升上地平线，爬到最高点再回落，这一天就宣告结束，为下一天让路。哈罗德花很长的时间看天，看远方的地面如何在天色转变下幻变。日出时山顶是金色的，反射朝霞的窗户是橙色的，仿佛有一团火在燃烧。傍晚暮色则在树底投下长长的影子，变为黑暗汇聚成的另一片深林。他在清晨的薄露上行走，看见一座座电缆塔在薄薄的白雾中显出头来，就会忍不住脸上的微笑。山势柔软了，平缓了，在他面前展现出一大片温和的青绿。他穿过广阔的萨默塞特湿地，看过银光一般闪烁的水流。格拉斯顿伯里突岩远远伫立在地平线上，在他前方看不见的还有门迪普山。

慢慢地，慢慢地，哈罗德的腿开始好起来。瘀青从紫色转淡为绿色，再隐成浅浅的黄色阴影，他终于不再担心。如果说他的心态有什么变化的话，那就是更坚定了。提伯顿和陶顿之间的旅程充满愤懑与痛苦，那是因为他强求了自己的身体，承担无法承受的东西，所以行走最终变成了一场与自己身体的战役，他输得无可奈何。现在他每天早晚练习一套温和的拉伸动作，每两个小时让身体休息一下，在脚上水泡感染之前就加以处理，还带上了新鲜的饮用水。再次审视他的野生植物百科，他找到了许多开花灌木的名字，知道了它们的用途，哪些会结出水果，哪些可用于烹饪，哪些是有毒的，还有哪些叶子有药用价值。野生大蒜在空气中投下特有的甜辛气。哈罗德又一次吃了一惊，原来只要知道寻找的是什么，就往往能从身边随手拈来。

他依然给莫琳和奎妮寄明信片，告诉她们自己的进度，每隔一段时间就给加油站女孩写封信。在那本《大不列颠旅游指南》上，哈罗德标记了斯特雷特的鞋子博物馆，还看了看克拉克村的商店，虽然内心深处，他依然觉得在经历这么多以后丢弃那双帆船鞋是错误的。在威尔斯，他给奎妮买了一块可以挂在窗上的玫瑰石英，给莫琳买了一支小树枝雕成的铅笔。虽然几个很热心的妇女协会成员一个劲儿地向哈罗德推荐马德拉蛋糕，他最终还是选了两顶手织贝雷帽，恰恰是奎妮最爱用的那种棕色。他还去了教堂，在一泻而下的寒光里静坐，想到好几个世纪前建造教堂、桥梁、轮船的人们。现在回头看，他们又何尝不是受了疯狂和信仰的驱动？在没人注意的时候，哈罗德悄悄跪下，为落在自己身后的人和旅程尽头的人祈祷，并祈求上帝帮助自己坚持下去。他还为自己从前没有形成信仰而道歉。

一路上见过的人，有白领、遛狗的人、逛街的人、上学的孩童、推婴儿车的母亲，有跟他自己一样的徒步旅行者，还有几个旅行团。他遇到一个税务稽查员，因为信奉德鲁伊特教，已经有十年没穿过鞋子。还有一个正在寻找生父的姑娘，一个向他忏悔做弥撒时上推特[1]的神父，几个为参加马拉松训练的年轻人，还有一个带着唱歌鹦鹉的意大利人。那天下午他遇见了一个从格拉斯顿伯里来的女巫，一个喝酒把房子喝丢了的醉汉，四个想找M5高速的自行车手，还有一位六个孩子的妈妈，向他倾诉生活原来可以如此孤单。哈罗德一路走，一路听着这些陌生人的故事，并不评判任何人。随着日子一天天过去，记忆中的时间地点渐渐开始模糊，他开始记不清那个税务稽查员是不是真的没穿鞋子，又有没有一只鹦鹉站在他肩上。但这些都无关紧要。他发现正是这些普通人的渺小与孤独使他讶异，牵动他内心的温柔。这世上有许多人每天做的事就是不断将一只脚放到另一只脚前面，日子久了，生活便显得平淡无奇。哈罗德无法再否认，其实一路上见过的每个陌生人虽然是独特

1．推特（twitter），世界知名社交网站，类似于中国的微博。

的，却又是一样的，这就是人生的两难。

他这样坚定地走着，好像等了一辈子就是为了离开椅子，像现在一样，走在路上。

莫琳在电话里说她从客房搬出来，回到主卧睡了。哈罗德已经一个人睡了许多年，刚听到这个消息很有点吃惊，也很高兴，因为主卧更大、更舒服，而且由于位置在房子的前方，可以看到金斯布里奇的景色。但他也觉得这意味着莫琳已经将他的东西打包好搬到客房里去了。

哈罗德想起过去，他曾经多次看着客房关着的门，心中清楚她已经完全将自己封闭，不愿再让他触碰。有时他会将手放在门把上，仿佛那是她身体的一部分，可以通过这样的方式再次感受到她。

莫琳的声音在沉默中悠悠传来："最近我经常想起我们第一次见面的时候。"

"什么？"

"是在伍尔维奇的一个舞会上。你碰了我的脖子，然后说了一句非常好笑的话。我们笑了好久好久。"

哈罗德皱起眉，努力回想这一画面。他记得是有一个舞会，但他能想起的就是那天晚上的她有多动人、多美丽。他记得自己像傻子一样跳着舞，还记得她乌黑的长发像天鹅绒一样在脸庞两边垂下。但他应该没有那么大胆，穿过整个挤满了人的舞厅去跟她说话吧？也不太可能是他逗得她笑个不停。哈罗德怀疑是不是莫琳记错了，把别人当成他了。

她说：“嗯，我该让你继续上路了。我知道你一定很赶时间。”

用的是对医生说话的语气口吻。每次她想强调自己不会麻烦人家，就总是这样。她最后说了一句：“真希望记起那天你说的是什么。实在太好笑了。”然后就挂了电话。

接下来的一天，哈罗德满脑子都是莫琳，还有他们刚刚开始恋爱的时光。他们一起去旅行，哈罗德从来没有见过吃相如此谨慎的人，她会将食物撕成一小块一小块再放入嘴里。那时他已经开始为两人的未来存钱，早上多打了一份开垃圾车的工，傍晚下班后有一份公共汽车售票员的兼职，每周有两天在医院值晚班，周六还到图书馆打工。有时他实在太累了，会爬到书架下睡一会儿。

那时莫琳喜欢坐公共汽车，从她家一直坐到总站。哈罗德的手在卖票、帮司机摇铃，眼睛却一直看着莫琳：穿着蓝大衣的莫琳；皮肤像瓷一样完美的莫琳；眼睛绿得灵动的莫琳。她会和他一起走路到医院，哈罗德每次都边擦洗楼梯，边想她到哪儿了，她回家的路上会看到什么呢。她还会溜进图书馆，在烹饪书专区翻阅，而他则从主服务台那里远远望着她，脑子里除了对她的爱，就是浓浓的睡意。

他们的婚礼很简洁，到场的许多客人他并不认识，全都戴着礼帽和手套。他们也给他父亲发了请柬，幸好他最终没来，这让哈罗德很是松了一口气。

当他终于可以与新婚妻子独处，看着房间那头的她轻轻解下裙子，既煎熬于触碰她的欲望，又因紧张而颤抖。他脱下身上从巴士站老友那儿借来的领带和外套，抬起头来，发现莫琳已经躺到了床上。她实在是太美了。哈罗德只好逃进厕所。

“是我的原因吗？”半个小时后，莫琳在厕所门外叫道。

当这一切已经远得永远不可追寻，记起这些东西是一种痛苦。哈罗德用力眨了几次眼，尝试摆脱那些画面，但它们就是不停地浮现。

穿过一个又一个人声鼎沸的城镇，走过一条又一条寥落的公路，哈罗德开始明白某些过去的时刻，仿佛它们刚刚才发生。有时他觉得自己已经脱离现在，陷入了回忆中。曾经的场景一次次重现眼前，他成了被迫留下的观众，目睹一个个错误、矛盾、不该作的选择，却无法改变任何事情。

他想起莫琳父亲去世两个月后，他突然接到一个电话，听到她母亲骤然离世的消息。他用力抱着莫琳才让她听完了消息。

“就剩下我和你了。”莫琳抽泣着说。

他伸手抚摸莫琳日益隆起的肚子，答应她一切都会好的。他说他会照顾她。他也的确是这么想的。他最大的愿望就是让莫琳开心。

那时她还愿意相信他，相信哈罗德可以给她一切她想要的东西。他当时还不知道，现在倒是明白了。是“父亲”这个身份成了他最大的考验，也促成了他的失败。也许他余下的日子都要在客房里度过了。

一路往北，向格洛斯特郡进发。有时哈罗德的脚步如此坚定，像流水一样自然，他不用想怎样先抬起一只脚，再抬起另一只。走在路上让他坚信奎妮会活下来，他的身体也因此重新焕发生气。这几天几乎不费什么劲就可以爬上一座小山。自己是越来越健壮了，哈罗德想。

在有些日子，他会更专注于目之所见。他试着寻找达意的词汇形容每次转变，但正如路上遇到的陌生人一样，语言有时反而会把事情弄得更杂乱无章。也有些日子，他会忘了自己，忘了在走路，忘了脚下的地，什么都不想，至少没有想那些可以用语言表述的东西。他感觉到肩上的阳光，看到一只滑翔的茶隼后，就一直踮着脚尖，双腿交替承受身体的重量，世上就只剩下这些事了。

只有夜晚让他头疼。他继续寻找最简单朴素的旅店，但那些旅馆的房间好像成了阻隔哈罗德到达目标的障碍。他本能地觉得身体里的一部分在呼唤着外面的世界。窗帘、墙纸、相框、配套毛巾，都显得多余而无意义。他喜欢把窗开得大大的，感受窗外晴朗的夜空、新鲜的空气。他的睡眠质量却依然很差，越来越频繁地被过去的画面困扰，或是梦见自己升到高处后狠狠落下。一早起来他看着窗棂上未落的月光，有一种被困的感觉。天几乎还没亮，他就结账出发了。

走进拂晓，他惊异地看着天空从一片血红转为统一的淡蓝，仿佛是全新版本的白日狂欢。他简直不相信自己过去那么多年从未注意过。

哈罗德的旅程继续着，“这计划怎么可能完成”的问题渐渐隐到了脑后。奎妮一定在等他，他心中坚信这一点，就像看见自己的影子一样笃定。他快乐地想象自己终于到达时的场面，奎妮应该会坐在床边一张洒满阳光的椅子上看着他。他们会有好多话说，好多回忆。他还记得有一次她在回程时突然从包里拿出一条火星棒。

“你会把我灌肥的。”他这样说。

“你？你身上一点肉都没有！”她笑着回答。

就是这句话，虽然有点奇怪，但一点也不让人不自在，并且从此改变了他们说话的方式。这句话说明她也会注意他，在乎他。那天之后，她每天都给他带一些糕点，彼此之间也开始以名字相称。在路上交谈是很容易的一件事，但只要一到小餐馆面对面坐下，话题就不翼而飞，不知道说什么好了。

“两个流氓叫什么？”他听到她问。两人现在已经又回到了车上。

“什么？”

“是个冷笑话。”

“哦！好。我想不到，叫什么？”

“流氓兔。”她用手紧紧捂住嘴，笑得浑身发抖，突然一声响鼻从指间漏出来，羞得她满脸通红。“我爸可喜欢这个了。”

最后哈罗德只好停下车，两人尽情笑了一顿。那天晚上在家里吃意大利烤面条加干酪沙司时，他把这脑筋急转弯告诉戴维和莫琳，揭开谜底时，两人都一脸茫然。笑话不但不好笑，反而显得俗气了。

哈罗德经常和奎妮谈起戴维。不知道她现在还记不记得。奎妮没有孩子，也没有侄子侄女，因此，她对戴维在剑桥的情况十分上心。她会问，戴维是怎么找到学校的？有没有交到朋友？喜不喜欢划艇？哈罗德总是告诉她这孩子正是少年得意，虽然实情是他很少回复莫琳的信和电话，也从来没提过朋友和学习方面的事情。当然也没提起过划艇。

哈罗德没对奎妮说过假期后家里橱柜中堆满的空酒瓶，也没提过信封里的大麻。他谁也没说，连他的妻子也不知道。他只是把它们装起来，然后在上班途中扔掉。

“你和莫琳一定为有这么个儿子自豪，哈罗德。”奎妮说。

他细细回想两人在酿酒厂共事的时光，虽然他们都不是喜欢凑热闹的人。奎妮还记得那个自称怀了纳比尔先生的孩子，突然辞职消失了的爱尔兰女招待吗？有人说他安排那女孩把胎儿处理掉，却出现了并发症。还有一回厂里一个年轻销售代表喝得酩酊大醉，被人脱得只剩下内裤绑在厂门口，纳比尔先生还开玩笑要放狗咬他，说那会很好玩。男孩吓得尖叫起来，一股棕黄色液体顺着他的大腿流下来。

想起这一切，哈罗德心中感到一阵令人作呕的羞愧。戴维是对的，纳比尔的确是那样的人，连奎妮都比他有勇气。

他又看见她笑的模样，慢慢地，好像再快乐的事情也带着一股悲伤。

他听到她说："酿酒厂出了事，就在那天晚上。"

他看到她的身体在摇晃。抑或摇摇欲坠的是他。他以为自己要晕倒了，感到她小小的手抓着自己的袖子，不停摇动。自从文具柜那次以后，她一直没有碰过他。

她说："你有没有在听？这是很严重的事，哈罗德，很严重的事。"

那是他最后一次见她。

哈罗德不知道她为什么要帮他背黑锅，也不确定她知不知道自己有多后悔。他又一次问自己，奎妮当年为什么连再见都没说。想着这一切，他使劲摇摇头，继续往北走。

她当场就被解雇了。纳比尔的暴行传遍了酿酒厂，甚至有传言说他差点就用烟灰缸或那个小小的纸镇砸中了奎妮的头。后来纳比尔的秘书告诉几个销售代表，说他从来都不怎么待见这女人。他还证实了奎妮当日是怎样坚持自己立场的。她并没有听到奎妮每一句话，因为门是关着的，但从纳比尔先生的吼叫内容中可以推断出奎妮大概说了些什么，比如："我真搞不懂你这么大惊小怪是做什么，我就是想帮个忙而已！"有人跟哈罗德说："如果奎妮是个男人的话，纳比尔先生一定会打得她胆汁都吐出来。"哈罗德当时坐在酒吧里，听得直反胃，又叫了一杯白兰地，一口喝到底。

被记忆折磨的哈罗德佝偻起双肩。他的确是个不可原谅的胆小鬼，但至少现在，他做了些实在事。

已经能看到巴斯了。天上新月如钩，地面小路曲折，把山坡割开一块一块，米色的石头在朝阳覆盖下燃烧一样发着光。今天会是很热的一天。

"爸爸！爸爸！"

他听到几声清晰的呼唤，猛地回过头来。飞驰而过的车辆擦过低垂的枝叶，除了他自己，什么人都没有。

16

哈罗德、外科医生与著名演员

哈罗德不想在巴斯待太长时间，埃克塞特已经让他明白，城市会磨蚀他朝目标进发的意志力。他要给鞋子再换个底，但补鞋匠家中有事，中午才会开业。哈罗德一边等，一边又给奎妮和莫琳选了一份礼物。炙热的阳光像一块厚厚的钢板压在修道院教堂的大院里，晃得人眼睛发疼，他只好用手遮一下。

“请您排队好吗？”

哈罗德回头看见一些外国游客，统一戴着帆布遮阳帽，来这里参观带有罗马气息的巴斯城。导游是个英国女孩，应该刚满二十岁，面容精致，说话带着一种下层阶级的颤颤巍巍。哈罗德正想解释自己不是旅行团的一员，她就向他坦白这是自己第一次带团，“他们好像都听不懂我在说什么。”她的声音听起来和年轻时的莫琳不可思议地相似，哈罗德无法挪开脚步。女孩的嘴唇颤抖着，好像随时会哭出来，那哈罗德可就惨了。他尽量往后靠，试着走进另一群快游览完的游客，但每次即将成功时他又不由自主地想起年轻时穿着蓝色大衣的妻子，他不忍心让这年轻人失望。两个小时后导游讲解完毕，哈罗德在礼物店里买了一些明信片和马赛克钥匙圈，莫琳和奎妮都有份。他告诉女导游，她将神圣温泉那部分讲解得特别精彩，罗马人实在是十分聪明。

年轻导游动一动鼻子，好像闻到了什么难闻的气味，问他有没有兴趣去一趟附近的巴斯公共浴场，那里不但可以欣赏到整个城市的美景，还可以享受一级的洗浴服务。

惊骇万分的哈罗德几乎逃一样离开了。他已经很细心地洗澡、洗衣服，但衬衫的领子还是垮了，指甲缝里也夹着污垢。他买了门票、租了毛巾才想起自己没有游泳裤，只好离开，找到最近的运动商店，这变成他出门以来开销最多的一天。导购给他拿了一堆泳衣、泳镜，哈罗德向她解释自己是个徒步旅行者，而不是游泳爱好者，她又拼命向他推介指南针的防水保护盖和一系列特价运动裤。

离开运动店时，人行道上挤满了人。哈罗德被挤得贴向一个戴高礼帽的维多利亚时代的铜像。

“我们在等那位超级巨星，”旁边一个女人向他解释，热气让她脸上发红，“他在签名售书。如果他能看我一眼，我想我会晕过去。”

连看到那个超级巨星都是一件难事，更别提和他对视了。他看起来不高，身边又有一面穿黑色制服的书店工作人员围成的人墙。人群又尖叫又鼓掌，摄影记者努力举高相机拼命打着闪光灯。哈罗德想，人活到这样的成就又是怎样一种感觉呢？

旁边那个女人说她的狗也是以这位巨星命名的。一条西班牙猎犬。她希望待会儿可以告诉他这一点。她已经在杂志上读过有关他的一切，就像朋友一样了解他。哈罗德靠着铜像想看清楚一点，但铜像狠狠戳了一下他的肋骨，嘶哑着声音让他滚远点。发白的天空亮晃晃的，哈罗德的脖子突然冒出了汗，腋下也湿了，衬衫粘在了身上。

等哈罗德回到浴场，已经有一群年轻女人在水里嬉戏，他不想惊扰她们，于是匆匆蒸了一下身就离开了。在泵房里，哈罗德问能不能给贝里克郡一个非常好的朋友带一份有益健康的圣水，工作人员给他灌了一瓶，又因为他丢了门票多收了五英镑的费用。已经下午了，哈罗德该上路了。

在洗手间里，哈罗德突然发现，身边站着的就是刚才那个签售新书的演员，他穿着皮夹克、皮裤子，脚上是一双细跟牛仔靴。他盯着镜子里的脸，拉紧皮肤，仿佛在检查有没有丢什么东西。从近处看他的发色非常深。哈罗德不想打扰那位演员，擦干自己的手，假装在想别的东西。

“可别告诉我你也有一条狗以我命名，”演员突然盯着哈罗德说，“今天我没什么心情。”

哈罗德回答自己没有养狗，又说自己小时候被一条叫作清客的北京犬咬过好多回。也许在政治立场上这样的名字不是那么恰当，但养狗的阿姨从来不会因为他人的感受麻烦自己。“后来我的儿子想养一只小狗，我还是太害怕，拒绝了。现在我很后悔。最近我一直在徒步行走，看到一些实在还不错的小狗。”

演员转头继续关注镜子里的自己。他接着埋怨给小狗命名的事情，好像哈罗德没提过他儿子的事似的。“每天都有人来跟我说他们养什么狗，现在直接就把我的名字给狗了，好像我还应该高兴似的。这群人什么都不懂。”

哈罗德嘴上附和着，心里却觉得这的确是看重他的表现。举个例子，他就想不到有谁会管自己的狗叫哈罗德。

“我用了很多年认认真真拼搏，在皮特洛赫里待了一整个剧季，但最后一部古装剧就成名了。这个国家里每个人都觉得用我的名字给狗命名很有创意。你来巴斯是想买我的书吗？”

哈罗德坦言并非如此。他以最简略的语言介绍了奎妮的情况，觉得没必要提及想象中到达疗养院时护士们给他鼓掌的盛况。演员看起来在听，听完又问了一遍哈罗德准备好他的书没有，仿佛哈罗德很想让他签名似的。

哈罗德于是同意了，觉得这或许也是一份不错的礼物，奎妮一直都很喜欢看书。他正要问演员介不介意等他赶紧去买一本回来，演员又开口了。

“还是算了，全都是垃圾，里面没有一个字是我写的，我连读都没读过。我只是个到处睡女人的瘾君子。上周我和一个女人口交，下去了才发现她有那家伙。这些东西他们可不会放到书里。”

“的确。”哈罗德看向门口。

“所有访谈节目都来找我，所有杂志都要采访我，所有人都觉得我是个好好先生，其实他们根本什么都不知道。我就像扮演着两个人。现在你大概要告诉我你是个记者了吧。”他嘿嘿一笑，举手投足却让他想起戴维的莽撞冷酷。

“我不是什么记者，我不是做记者的料。”

“再跟我说一遍，你为什么要走路去布拉德福？”

哈罗德小声说了几句贝里克郡、补偿之类的话，但他还是慌张于这个明星突然的坦白，他努力不让自己表现出来。

“你怎么知道这女人还在等你？你有她的音信吗？”

“音信？”哈罗德明明听到了，还是重复了一遍。这其实是在拖延时间。

“她有没有跟你说她愿意你这样？”

哈罗德张开嘴，试了几次，都无法说出话。

“你们到底是怎么说的？”演员又问。

哈罗德用指尖碰了一下胸前的领带：“我给她寄明信片了，我知道她在等我。”

哈罗德笑了，演员也笑起来。他希望演员被说服了，因为他实在不知道还能怎样表达。有一阵子演员看起来也的确认同了，但是突然他蜜色的脸庞升起一种阴沉，好像吃了什么味道不对的东西一样：“如果我是你，就赶紧找辆车。”

“什么？”

“徒步个毛啊。”

哈罗德的声音颤抖着：“徒步才是关键，这样她才能活下来。约翰·列侬也曾卧病在床，我儿子就在他墙上挂了一张他的海报。”

“约翰·列侬还有小野洋子和全世界的传媒报道呢。你有谁？你就有你自己，一点一点挪去贝里克郡。如果她没收到你的信呢？或许他们压根就忘了告诉她。”演员皱起眉，压下嘴角，仿佛在揣摩这个错误决定的意义，“我把车子借给你，还有我的司机。你今晚就该到了。”

卫生间的门被打开了，一位穿着短裤的男士走向便器。哈罗德耐心地等他忙完。他要让那个演员明白平凡人也可以尝试不平凡的事，这没法用逻辑解释。但他脑子里又全是一辆开往贝里克的汽车。演员是对的。哈罗德留了口信，寄了明信片，但没人能肯定她真的相信他是认真的，甚至没人能证明她的确收到了消息。他要握紧双手才能阻止它们发抖。

“我没有扫你的兴吧？”演员说。他的声音突然温柔起来，“我跟你说了我是个浑蛋。”哈罗德摇摇头，但没有抬眼，心里希望那个穿短裤的男士没有听到。

男士走到哈罗德和演员之间洗手。他笑了起来，好像想起了一件很私人的趣事。然后他说：“我一定要告诉你，我妻子给我们的狗起了你的名字。”

哈罗德转身向大街走去。

空中有一层厚厚的白云，压在整座城市上头，仿佛要将城里的生命力压榨出来。酒吧和咖啡馆都摆到了路上，喝酒和逛街的人都只穿背心，几个月没见太阳的皮肤晒成了深红色。哈罗德把外套搭在手臂上，依然要不停举手，用袖子擦掉脸上的汗。杨絮种子像飞虫一样悬在半空。哈罗德走到补鞋店，门还是没开。他背包的肩带都被汗浸湿了，他不知道下一步该怎么办。

或许到修道院待一阵。他希望那里凉爽一点，再给他一点启示，但那里正在进行音乐彩排，不对游客开放。哈罗德在一小片阴影中坐下来，看了一眼铜像，这时一个小孩子突然哭喊起来，原来铜像朝她挥了挥手，还给她递过去一颗糖。哈罗德来到一家小小的茶馆，发现自己在这里可以买得起一壶小小的茶。

女侍应皱着眉说：“我们下午不供应饮料，你只能点摄政巴斯奶茶。”但哈罗德已经坐下了，只好点了一杯。

这里的桌子很挤，几乎可以看见蒸腾上来的热气。店里顾客都伸开腿坐着，用店里过了塑的菜单扇着风。饮品上来时，哈罗德看到的是一小勺凝结的奶油窝在一摊脂肪里。女侍应说：“慢慢享用。”

哈罗德问她知不知道到斯特劳德最近的路，她耸耸肩。“可以请你和其他顾客搭桌子吗？”她用陈述的语气说完，就向站在门口的一个男人打招呼，示意他坐到哈罗德对面。男人面带歉意地坐下，抽出一本书。他的脸刮得很干净，头发剪得短短的，白色衬衫的领子打开着，露出V形的完美的咖啡色皮肤。他麻烦哈罗德把糖递过来，又问他喜不喜欢巴斯。他说自己是美国人，女朋友正在这里享受简·奥斯汀式的体验。哈罗德不太确定那是什么，但希望千万不要牵扯到刚才那个明星。接着是沉默，哈罗德松了一口气，他可不需要再来一回埃克塞特的偶遇了。放下心里对他人的考虑不说，他此刻非常希望身边能有一堵墙把自己隔开。

哈罗德把奶茶喝掉，却无法吃下那碟司康饼，心中有种沉闷无趣，感觉就像奎妮离开酿酒厂后那些年一样。他只是一团穿着西装的空虚，有时说话，有时听到身边人讲话，每天上车下车，上班回家，却与其他人没有真正的交流。纳比尔离开后走马上任的经理说，哈罗德应该转到幕后工作，直至退休，比如整理文件。真是一个奇怪的建议。于是哈罗德得到一张特殊的桌子、一台电脑和一个写着他名字的徽章，但从来没人接近他。他用餐巾纸盖住司康饼，不小心碰到了对面男士的目光。

“天气热得叫人吃不下东西。”男人说。

哈罗德表示同意后马上后悔了。现在对面的男人好像要将对话继续下去。

“巴斯看起来还不错，”他合上书说，“你在度假？”

哈罗德不情愿地把故事解释了一遍，能简洁的地方就一句带过。他没有提起加油站女孩和她靠信念救下阿姨的事，但提到了儿子离开剑桥后他到湖区走过一趟，虽然他并不确定自己到底走了多远。那次回到家后，他有好几周都动不了。

“你的儿子会和你会合吗？”男人问。

哈罗德说不会，然后询问美国人以何为生。

“我是一个外科医生。”

“我遇到过一个斯洛伐克女人，她也是个医生，但她在这里只能找到清洁工的工作。你是什么医生？”

“肿瘤科。”

哈罗德感到身体里的血加快了速度，好像一不小心开始狂跑起来。“天啊，”他说，很明显两人都不知道怎么接下去，“我的天！”

那医生耸耸肩，歉意地笑笑，仿佛希望自己做的是别的事情。哈罗德四下寻找刚才那个侍应，但她正忙着给一个顾客拿水。哈罗德热得晕乎乎的，抬手擦了擦额头。

肿瘤医生说：“你知道你朋友得的是哪种癌症吗？”

“我也不确定，她在信里说已经没有什么可以做的了，就是这么多。”哈罗德感觉自己完全暴露在医生的审视下，仿佛医生正拿着解剖刀一寸寸探究他的皮肤。他松松领带，解开了领口的纽扣。那个侍应怎么不快一点呢？

“是肺癌吗？”

“我真的不知道。”

“我可以看看那封信吗？”

哈罗德并不想给他看，但他已经将手伸了过来。哈罗德伸手进裤袋找到信封，整了整老花镜上的胶布，奈何脸上太湿，只好用手固定住老花镜，另一只手用袖子擦了擦桌面，然后用手帕又擦了一遍，才把粉红色信纸打开抚平。时间好像停滞了，当那个外科医生伸手轻轻将信挪过去，哈罗德的手指还在上面徘徊。

在医生看信的当儿，哈罗德又把奎妮的话读了一遍。他感觉自己必须保护好这封信，只要不让信离开自己的视线，就可以做到这一点。他的目光落在那句附言上：“不用回信了。”后面是歪歪斜斜的一笔，好像有人用左手写字，不小心画了一下。

医生向后靠到椅背上，发出一声叹息：“多么感人的一封信。”

哈罗德点点头。他把老花镜放回衬衫口袋，擦干脸。“而且打得这么整齐，”他说，“奎妮总是这样一丝不苟，你真该看看她的桌面。”然后他笑了。一切都会好起来的。

肿瘤医生说：“但我以为是护工帮她打的。”

“什么？”哈罗德的心跳停止了。

“她不可能还有力气坐在桌前打字。应该是疗养院里的人帮她打的。但她还能写清楚地址，这已经很不错了。可以看出她真的下了功夫。”医生露出一个笑容，明显带着安慰的意味，笑容牢牢定格在医生的脸上，好像被遗忘在了那里，或是放错了地方。

哈罗德收回信封。真相如千斤石坠到他心底，周围一切仿佛都消失了。他再也不知道自己到底是觉得热还是冷，他笨手笨脚地重新拿出老花镜，终于看到了那个不对劲的地方。怎么可能没发现呢？那稚气的，歪歪斜斜的，错落得好笑的笔迹，和信纸下方潦草的曲线一样，那是一个笨拙的签名。

是奎妮的笔迹。已经到这地步了。

哈罗德想将信放回信封，手却颤得厉害，塞到一半就卡住了。他只好把信抽出来，重新塞一遍。

过了许久，肿瘤医生问：“哈罗德，你对癌症了解多少？”

哈罗德打了个哈欠，将脸上露出的情绪强按回去。医生温和而缓慢地向他解释了肿瘤形成的原因和过程，没有赶时间，也没有犹豫。他解释一些细胞怎样不受控制地分裂，形成不正常的恶性组织。世界上有多达两百种的癌症，每一种都有不同的病因和症状。他形容了一期癌症与二期癌症的区别，不同的肿瘤为何需要不同的疗法。他解释一团新的肿瘤即使扩散到其他部位还是会和原来的肿瘤一模一样，比如说扩散到肝脏的乳癌细胞不会像肝癌细胞，而会是长在肝脏的二期乳癌细胞。一旦扩散到其他器官上，病情就会恶化。一旦癌细胞开始扩散，治疗就难上加难。举个例子，如果癌细胞蔓延到了她的淋巴系统，结局就不远了，虽然受影响的免疫系统也许会因为小小的感染崩溃得更快。“甚至是一场感冒。”他说。

哈罗德一动不动地听着。

“我并不是说癌症无药可医，如果手术失败，还有其他的疗法。作为一名医生，我绝对不会告诉我的病人完全无计可施了，除非我百分之百确定。哈罗德，你家里有妻子儿子，如果可以的话，我想说你看起来十分疲累。这一趟真的非走不可吗？”

无话可说的哈罗德站了起来。他拿起外套，但有一边袖子怎么都对不准，在那位医生帮忙下他才终于穿上了。“祝你好运，”他伸出手，“请让我结账，这是我能做的。”

那天剩下的时间里，哈罗德一直在街上踱步，他完全不知道目的地在哪儿。他需要有人分享他的信念，让他也相信这个信念，但他好像连开口的力气都没有了。最后他终于换了鞋底，还买了一盒新的胶布，可以用到斯特劳德。他停下来买了杯外带咖啡，简单提了提贝里克，但没说打算怎么去或为什么去。没人说他想听的话。没人说，大家都会鼓掌的，因为，哈罗德，这是我们听到过的最好的主意。你一定要坚持。

哈罗德试着和莫琳说话，却担心占用她的时间。他感觉自己连最简单的词句都说错了，每天都问的老生常谈也问错了，所以对话只给他带来更多痛苦。他告诉她他做得很好，还鼓起勇气暗示路上有些人表达了他们的怀疑，希望莫琳会笑出来，表示这些怀疑根本不用理会。但她只是说了一句：“是，我明白。”

“我甚至不知道她是不是——”这些词句又自己跑出来。

“她是不是——什么？”

“还在等。”

“我还以为你知道呢？”

“我并不确定。”

“你有没有在其他斯洛伐克女士家停留过？”

“我遇到了一个外科医生，还有一个非常出名的演员。”

“我的天，”莫琳笑着说，“我要把这个告诉雷克斯。”

一个壮实的穿着花裙子的秃头男人蹒跚着走过电话亭，街上行人渐渐慢下来，指着他窃笑。裙上的扣子紧勒着肚子，眼睛周围有一块很大的瘀青，应该是最近才被打的。哈罗德宁愿自己没有看见他，但既然看到了，就难以避免有一段时间无法将他从脑海中抹去，无论这令他有多么不舒服。

“你确定你一切都好？”莫琳说。

接下来又是一阵沉默，他突然害怕自己会哭出来，所以他急急地对莫琳说还有人等着用电话，他要走了。西边的天空有一道红霞，太阳开始西斜。

“那就拜拜吧。”莫琳说。

有很长一段时间，他坐在离修道院很近的一张长椅上，试着想出下一步到哪里去。就好像哈罗德脱掉了夹克，接着是衬衫，然后是几层皮肤和肌肉。即使最普通的东西也让他不胜重负。一个店员把遮阳棚收起来，发出吱吱的声音，一声声像刻在哈罗德的脑子里。他看着空空如也的街道，谁也不认识，哪儿也不能去，但突然，他看到了戴维，在路的那一端。

哈罗德站起来，呼吸急促得可以感觉到气体在嘴里进出。不可能是他的儿子，他不可能在巴斯。但是看那驼着背大步大步走向他，嘴里叼着香烟，身上的黑外套像翅膀一样张开的样子，哈罗德知道那是戴维，他们要见面了。他的身体抖得那样厉害，他不得不伸手扶住长凳。

虽然隔着这么远的距离，哈罗德也能看出戴维又把头发留长了。莫琳看到会很高兴的，戴维剃光头那天她哭得非常伤心。他的步履依然摇摇晃晃，步幅很大，眼睛盯着地面，低着头，好像要避开路上的人。哈罗德喊出声：“戴维！戴维！”他们之间的距离不会超过五十英尺。

他的儿子惊讶地晃了一下，好像绊了一脚或失去了平衡。或许他喝醉了，但没关系，哈罗德会给他买杯咖啡，或其他什么饮料，只要他喜欢。他们可以吃顿饭，也可以不吃。他们可以做他的儿子想做的任何事情。

“戴维！”他边喊边开始慢慢地走向他。一步一步，轻轻地，显示自己没有任何恶意。又走了几步，他停下来了。

他想起从湖区回来的戴维，瘦骨嶙峋，脑袋支在脖子上寻找着平衡，整个身体都拒绝着外面的世界，唯一的兴趣就是慢慢销蚀掉自己。

“戴维！”他又喊了一遍，这回大声了一点，想让他抬起头来。

他看到了儿子的目光，里面没有一丝笑意。戴维茫然地看着父亲，仿佛他不在那儿，或者他只是街上物件的一部分，完全没有认出他的迹象。哈罗德的胃开始翻腾，祈祷自己不要倒下。

那不是戴维，是别人，是另一个男人的儿子。有那么一阵子，他说服了自己会在这条街的另一头看到自己的儿子。那个年轻人突然一个急转弯，以轻快的步子走远了。哈罗德依然张望着，等待着，看他会不会转过身来，看会不会是戴维的脸庞。但他没有回头。

这比二十年没见到儿子还要痛苦。就像失而复得，又再次失去。哈罗德回到修道院外的长椅上，明白自己必须找个过夜的地方，但他却无法动弹。

最后他在车站附近一间闷热的房间里安顿下来。他望向窗外的马路，摇起窗户，想透点新鲜的空气，但汽车川流不息，一列列火车尖叫着来了又去。墙那头传来一个讲外语的声音，应该正对着电话大吼大叫。哈罗德躺下，床太软了，不知道有多少陌生人曾经在这张床上睡过。听着墙那边不解的外语，他突然害怕起来，于是站起身，在房间里走来走去，只觉得墙壁太近，空气太焦灼，窗外的汽车火车轰轰烈烈地奔向它们要去的方向。

过去已经无法改变。不能做手术的癌症是好不了的。他想起自己见过的人，他们的痛，他们的挣扎，于是，他又一次感受到做人的孤独。他想起那个穿着女性衣着的陌生人和他头上的伤。他想起戴维毕业那天的模样，还有接下来几个月的时光，他仿佛在睁着眼睛做梦。太多了，太多了，走不下去了。

黎明刚破晓，哈罗德已经站在A367国道上，但是他既没有看指南针，也没有翻导游书。他要用尽全身力气才能抬起一只脚放到另一只脚的前面。直到三个骑着马的少女向他询问谢普顿马雷的方向时，他才意识到自己花了整整一天的时间在往错误的方向前进。

他在路边坐下，看着一片被小黄花照亮的绿地。他想不起这种花的名字，也不想拿出包里的植物百科翻查。事实上他已经花了太多钱了。走了三个星期，金斯布里奇还是比贝里克离他近。第一只燕子猛冲下来又升起，像孩子一样在空中玩着游戏。

哈罗德不知道自己还能不能再站起来。

17

莫琳与花园

“没错，戴维，”莫琳说，“他还在走。他基本上每晚都会打电话回来，雷克斯对我也很好。有趣的是，我还觉得挺骄傲的呢。但愿我知道该怎么告诉哈罗德这一点。”

她躺在哈罗德他们俩从前的那张大床上，盯着困在窗帘背后那团明亮的晨光。这周发生了太多事情，有时她甚至觉得自己是不是不小心闯进了另一个女人的身体。“他会寄明信片回来，有时还有一份小礼物。他似乎对钢笔情有独钟。”莫琳停了一下，担心自己冒犯了戴维，因为他一直没有回应。“我爱你。”她说。说完这句，他还是没有出声。“我该让你去忙了。”她终于说。

说完后，虽不至于如释重负，但这是她第一次和儿子说话有不舒服的感觉。她本来以为哈罗德离开后两人会更亲近，但是她发现与其花上好几个小时告诉他自己过得怎么样，还不如忙碌自己的事情。等她当真说起，又会突然发现其实他根本没在听。她找到了不去整理他房间的理由，甚至不再想他会不会来看她。

那趟斯莱顿沙滩之行是她的转折点。那晚她摸索着把门钥匙插进锁孔，隔着篱笆朝雷克斯喊一声谢谢后，穿着鞋子就走上了楼梯，径直走到主卧，衣服也不脱就睡到了床上。半夜她突然怀着一丝惊恐意识到自己在哪里，紧接着又松了口气。终于结束了。除了沉甸甸的痛，她想不到还有什么结束了。拉过羽毛被，她蜷着身子枕上哈罗德的枕头，那里闻起来有梨牌香皂和他的气味。醒来后，她感觉到一种轻松像热水一样传遍了全身。

然后她开始将自己的衣服一堆堆从客房搬进来放进衣柜，挂在哈罗德衣服的另一端。她给自己立了一个挑战：他不在的每一天，她都要尝试一件新事物。她把那堆未结的账单和支票本放到厨房桌子上，开始清理。她打电话给哈罗德的保险公司，确定他的健康险还未到期。她把车开到车房，检查了车胎的气压情况。她甚至在头发上绑了一条旧丝巾，像从前一样。当雷克斯突然在花园篱笆那头出现，她闪电般地伸手将丝巾扯下来。

“我看起来肯定很可笑。”她说。

“一点都不会，莫琳。”

看来他心里有事。他们谈谈花园，谈谈哈罗德走到哪儿了，然后他突然说想起一件事，静静走开了。莫琳问他是不是一切都没问题，他只是点点头。“等一下就好，”他告诉她，“我有个计划。”莫琳下意识觉得应该和自己有关。

前一周在卧室清理窗台的时候，她无意中注意到雷克斯收了个硬纸板包装的管状包裹。一天后在同一个位置她又看到雷克斯抱着一块窗户大小的板辛苦地走过来，还用一块格子绒毯藏藏掖掖地盖住。莫琳好奇了，跑到花园里等着，甚至拿出一篮子干洗的衣服挂上晾衣绳，但雷克斯整个下午都没有出来。

她敲敲门，想看看他是不是还有牛奶，隔着一条窄窄的门缝，他说还有，又说自己想早点休息。但是当莫琳十一点钟出去检查后花园时，雷克斯家厨房的灯仍然亮着，能隐隐约约看到他在敲敲打打。

第二天莫琳突然听到信箱被人猛敲一下，她赶紧跑到门厅，发现大门磨砂玻璃外有一个奇怪的四方形物体，上面还露着个人头一样的圆形。打开门，她发现是雷克斯抱着一块巨大的方形棕色包裹，外面还绑着一圈蝴蝶结。“我可以进来吗？”他几乎连这句话都说不出来。

莫琳已经想不起来上回收生日礼物或圣诞礼物是什么时候了。她把他引进客厅，问他要喝茶还是咖啡。雷克斯坚持没时间喝东西了，她一定要马上打开礼物。“撕掉包装纸，莫琳。”他说。

她撕不开。实在是太激动了。她撕下一角棕色包装纸，发现是硬硬的木头，又撕下另一角，仍是木头。雷克斯紧握着双手放在大腿上，每次她撕开一小块，他的脚就抬一抬，好像在跳一条隐形的绳子，还喘着气。

“快点，快点。”他说。

“到底是什么？”

“拉出来，继续呀。好好看一看，莫琳。我特地做给你的。”

是一幅钉在硬纸板上的巨大英格兰地图，背后安了两个挂钉，可以挂在墙上。他指指金斯布里奇的位置，莫琳看到一枚图钉，缠着一根蓝线连向洛迪斯韦，那里也有一枚图钉，然后蓝线再连向南布伦特，又连向布克法斯特。哈罗德一路的旅程都用蓝线和图钉标出来了，直到巴斯以南为止。在英格兰顶端，贝里克郡用绿色荧光笔标记出来，还插着一枚小小的手工旗子。甚至还有一盒图钉，让她把哈罗德寄来的明信片钉起来。

“我想你可以在哈罗德不会经过的地方钉那些明信片，”雷克斯说，“像诺福克和南威尔士。效果肯定会很好。”

雷克斯在厨房墙上钉好钉子，和莫琳一起将地图挂上去。地图就在桌子边上，莫琳随时可以看到哈罗德在哪里，还可以把他剩下的旅程画出来。地图有点歪，因为雷克斯用电钻不太在行，第一枚钉子还直接砸到墙里头去了。但如果她微微斜着头看，就几乎看不出什么来。况且，她跟雷克斯说，不十全十美并没有关系。

这，对莫琳来说，也是一个全新的历险。

地图展示完毕后，他们每天都会出去走走。她陪他带着玫瑰去坟场看伊丽莎白，然后在希望湾停下来喝杯茶。他们到索尔科姆坐船穿过河口，有一天他还开车送她到布里克瑟姆买螃蟹。他们顺着滨海大道走到贝伯雷，在蚝屋品尝新鲜的贝类海鲜。他说出来走走对身体很好，希望不会给她带来麻烦，她赶紧保证分散一下注意力对她也有好处。他们在班特姆的沙丘前坐下，莫琳开始说起四十五年前她和哈罗德刚结婚时是怎样搬到金斯布里奇的。那时候一切都充满希望。

“我们谁也不认识，但这不要紧，我们有彼此就够了。哈罗德童年过得不容易，我想他非常爱他的母亲，而他的父亲参军回来后肯定是因为什么原因而彻底垮了下来。我想成为他从来没拥有过的幸福，给他一个家。我学做饭，做窗帘，找来木箱子拆开钉成咖啡桌。哈罗德在房子前给我开了一片地，我什么都种，马铃薯、豆子、胡萝卜。”她笑了，“我们那时非常快乐。”叙述过去是多么愉快的一件事，莫琳但愿自己能有更多的词汇。“非常快乐。”她又说了一遍。

潮水退得远远的，沙地在阳光下闪着光，海岸和博拉岛之间有一段明显的距离。人们支起了色彩斑斓的防风墙和帐篷，小狗在沙地上蹦跳，追着树枝、小球，孩子则提着小铲子、小圆桶在沙滩上跑来跑去，远处的海面闪闪发亮。她想起戴维小时候多想养一条小狗，有一阵子她甚至怀疑是否这就是所有问题的答案。但不可能。莫琳摸索着掏出手帕，让雷克斯别管自己。或许是因为多年后又回到班特姆这里。她曾经一次又一次为戴维几乎溺水一事责怪哈罗德。

“我说过很多言不由衷的话。就好像，即使我想到的是哈罗德的好，一说出口就又变了味。好像不断否定他成了我们之间唯一可以做的事。他过来跟我说一句话，我连话都没听完就回一句‘我不这么认为’。”

“每次伊丽莎白忘记盖上牙刷盖我都会朝她发火。现在我一打开一管新的就马上把盖子丢掉，原来我根本就不想留着那盖子。”

她笑了。他的手就在她的手边。她抬起手拂过脖子上依然柔软的皮肤。“年轻时，看见我们这个年纪的人，觉得自己的生活一定会井井有条。从来没有想过到六十三岁时会是这个混乱样子。”

过去有太多东西，莫琳希望自己作的是不同的选择。躺在晨光中的床上，她打着哈欠，伸着懒腰，张开手脚感受着床垫之大，甚至伸到冰冷的床角。然后她将手指移向自己，触摸自己的脸颊、喉咙、乳房的轮廓。她想象哈罗德的手覆在自己腰上，他的唇覆在自己的唇上。她的皮肤已经松弛，指尖已经失去年轻女人的敏感，但心还是疯狂地跳起来，血液奔腾。外面传来雷克斯关上前门的咔嚓声，她突然坐了起来。过了一会儿他的车声响起，开走了。她又缩回羽毛被里，将被子揽入怀中，像抱一个人那样。

衣柜门半开，露出哈罗德留下的衣服的一只袖子。她又感到一阵熟悉的刺痛，将羽毛被扔到一旁，开始寻找可以分神的东西。经过衣柜时她找到了最好的分心方法。

多年以来，莫琳都喜欢像她妈妈一样将衣服按照季节分门别类摆好。冬衣和厚的套衫一起放在挂衣杆的一头，夏天的衣服则必然和轻薄的外套、开衫挂在另一头。之前忙着把自己的衣服挂回衣柜，居然没有注意到哈罗德的衣服挂得乱七八糟，根本没有天气、面料、质地之分。她于是一件件翻出来，扔掉他穿不下的，再把剩下的摆整齐。

他的工作服也在那儿。翻领都松松垮垮了。她拿出来放到床上。有几件羊毛衫，手肘位置磨薄了，需要补一补。翻看一堆或白色或格子花纹的衬衫时，她找到了他专门为戴维的毕业礼买的斜纹软呢外套。她的心上仿佛有人一下一下敲打着，好像有什么被关在了里面。好多年没看到这件外套了。

莫琳将外套从衣架上取下，在眼前展开。二十年时光溜走了，她又看到了他们两个穿着并不舒服的新衣服，乖乖地站在剑桥大学的国王礼拜堂外，在戴维指定的位置等候。她看到自己穿着一条绸缎裙，现在想起来，那肩垫是煮熟的贝类海鲜的颜色，或许和她当时的脸色还十分搭配。

她看见哈罗德弓着肩膀，手臂僵硬，仿佛那件外套的袖子是木头做的。

都是他的错，她当时这样抱怨：他应该仔细检查一下通知，是心里的紧张让她过分疏忽了。他们足足等了两个多小时，最后发现还是等错了地方。整个毕业典礼都错过了。虽然戴维在小酒馆外面撞见他们时道了歉（这还是可以原谅的，毕竟那是一个值得和朋友大肆庆祝的喜庆日子），他还是没有带他们体验那趟早早答应好的划艇游览。从剑桥开车回金斯布里奇的路上，夫妻俩一直沉默。

“他说这个假期要出去走走。”最后她开口说。

“很好。”

“只是一个过渡而已，然后就会找一份工作。”

“很好。”他又说。

挫败的眼泪像一团固体塞在她喉咙里。“至少他还得到了一个学位，”她爆发了，“至少他这辈子还做了点事情。”

两周后戴维出乎意料地回了家。他没有解释自己为什么这么快就回来了，但他带着一个棕色手提箱，打在楼梯扶手上发出沉闷的咚咚声。他经常把母亲拉到一旁，朝她要钱。“大学可把他累惨了。”他早上不起床，她会这么说。或是“他只是还没找到最合适的工作”。他错失了一场又一场的面试，即使去了，也总是忘记洗漱梳头。“戴维太聪明了。”她说。哈罗德会用他一贯的方式轻轻点头，她则生出朝他大喊大叫的冲动。事实上，大多数时候，他们的孩子几乎连站都站不直。有时候她偷偷瞥他一眼，甚至无法相信他已毕业。看见戴维，你就可以看见过去，看见那么多不连贯的东西，最后连自己最确信的事物都开始分崩离析。但紧接着她又会为怀疑孩子而内疚，转而责怪哈罗德。至少你儿子还有点前途，她说。至少他还有头发……一切让哈罗德失去控制的话。渐渐她钱包里的钱开始不翼而飞，刚开始是硬币，然后是纸币。她假装什么都没有发生。

多年以来，她不止一次问过戴维自己还可以做些什么，戴维每次都说已经够了。毕竟是她在报纸的求职专栏画出一个个合适的职位，是她帮他预约医生，开车送他过去。莫琳记得他是怎样将药方一把丢到她的腿上，好像这跟他一点关系都没有。

“这么多药，”她急忙起身说道，“医生说什么了？他说是什么问题？”

他只是耸耸肩，又点起一支香烟。

但至少还是有一点进步的。晚上她细细倾听，戴维好像已经入睡了。他不再在凌晨四点爬起来吃早餐，不再穿着睡袍到外面游荡，或是弄得整间屋子充满卷烟那令人作呕的甜味。他坚信自己会找到一份工作。

她又记起戴维决定应征入伍的那天，他自己毅然将头发剃光。厕所遍地是他打着卷儿的长发，头皮上有因手颤划出的伤痕。看到她深爱的儿子受到的伤害，她难过得想大声号叫。

莫琳弯身窝在床上，把脸埋入双手。他们还能做些什么？

“噢，哈罗德。”她抚摸着他那件英国绅士外套粗糙的纹理。

突然有一股冲动，要她做一件完全不一样的事情。仿佛有一道力量穿过她的身体，逼她再次站起来。她找出毕业礼上穿的虾色缎裙，挂在衣柜正中，然后把哈罗德的外套挂在裙子旁边，它们看起来又孤单又遥远。她拿起他的衣袖，放到粉色肩垫上。

然后她将每件自己的衣服都和哈罗德的衣服配对挂起来。她把自己衬衫的袖子塞进他蓝色套装的口袋，裙子的褶边在男装裤腿绕一圈，另一条裙子塞到他蓝色羊毛衫的怀里。仿佛有许多隐形的莫琳和哈罗德在她的衣柜里闲逛，只等着踏出来的机会。她笑了，然后又哭了，但是她没有将衣服的位置换回来。

雷克斯车子的引擎声将她拉回现实，她很快就听到了自己前门花园的响声。莫琳撩起窗帘，看见雷克斯用绳子将草坪分成一块块长方形，然后开始用铁锹铲地。

他抬头向她招手："幸运的话，我们或许还来得及种上红花菜豆。"

穿着哈罗德旧衬衫的莫琳种下了二十株小小的豆苗，并将它们绑到竹架上，小心地不去碰到它们柔软的绿色根茎。她轻轻地把地上的泥土压实，浇上水。刚开始她总是满心担忧地看着它们，害怕它们被海鸥啄去，被霜气冻死。但寸步不离观察了一天后，她的担忧消失了。日子一天天过去，小苗的根茎强壮起来，长出了新叶。她种了几行莴苣，几行甜菜根，几行胡萝卜，又把装饰池里的碎石清掉了。

指甲缝里塞着泥土的感觉真好。重新养育一些东西的感觉，真好。

18

哈罗德与决定

“早上好。我想找一位奎妮·轩尼斯小姐，她一个月前给我写过一封信。”

第二十六天，在斯特劳德以南六英里，哈罗德决定停一停。他已经折返五英里回到巴斯，又顺着A46国道走了四天，但之前弄错方向这件事，实在是个打击，哈罗德的进度着实慢了下来。灌木丛渐渐消失，变成沟渠和干巴巴的石头墙，开阔的平地上矗立着一座又一座巨大的电缆塔，望不到尽头。他眼里看着这些东西，却无法燃起一丝兴趣，无论往哪个方向看去，都是没完没了的路，没有尽头可言。他用尽全身气力往前走，心里清楚自己是永远不可能到达的。

为什么要浪费这么多时间看天、看山，与路人交谈，回想已经过去的一生？坐上一辆车不就完了吗？他当然不可能靠一双帆船鞋走到贝里克。奎妮当然不会因为他叫她等待就能延迟结局的到来。每一天，低垂的天空在银色日光的炙烤下愈加苍白，他只是埋头行走，不去看头上的飞鸟，不理会身边的车流。这种感觉比只身一人站在深山野林里还要孤单无着。

这个决定不仅仅是为自己而作的。还有莫琳，他越来越想念她了。他知道自己已经失去了她的爱，但一走了之，将她一个人落在身后收拾残局仍然说不过去。他已经给过她太多的哀伤和不幸。还有戴维，从巴斯那天起，哈罗德越来越痛苦于他们之间的距离。他太思念他们两个了。

最后还有经济原因。晚上过夜的小旅馆并不昂贵，但这样下去依然是他无法承担的一笔数目。他查了一下银行账号，吓了一跳。如果奎妮还活着，如果她愿意他来看她，那他就坐火车去吧。晚上就能到贝里克了。

电话那头的女人问："你以前打来过吗？"哈罗德不知道这是不是上次接电话的护士。是苏格兰口音，他想，还是爱尔兰？他已经太累了，没有心情去揣摩。

"我可以跟奎妮说话吗？"

"很抱歉，恐怕不行。"

哈罗德像是撞上了一堵看不见的墙。"她是不是——"胸口一阵刺痛，“她是不是——”还是说不出来。

“你是不是那位要徒步走过来看她的先生？”

哈罗德吞一下口水，喉咙尖利地一痛。他说是，然后又道了歉。

“弗莱先生，奎妮没有家人，也没有朋友。没有牵挂的病人一般都熬不了多久。我们一直在等您的电话。”

“噢。”他几乎说不出话来，只好听着。血管里的血好像冷了，静止了。

“接到您的电话以后，我们都注意到了奎妮的变化，非常明显。”

他眼前浮现出一个担架，僵硬的，死气沉沉的。原来，来不及改变是这种感觉。哈罗德沙哑着声音回答：“是。”因为那头没有任何回应，他又加了一句：“当然。”他的额头靠在电话亭的玻璃上，肩膀也靠上去，闭上了眼睛。若能有剪断一切感觉的方法多好。

电话那头一阵的杂音，好像有笑声，但这怎么可能呢？“我们从来没有见过这样的事情：有时她居然能坐起来，还给我们看你寄给她的明信片。”

哈罗德摇了摇头，好像没听懂：“不好意思，你说什么？”

“她在等你，弗莱先生，就像你嘱咐的那样。”

一声惊喜的叫声从身体内爆发出来，把哈罗德自己都吓了一跳。“她还活着？她在好转？”他笑了，并非有意为之，却越笑越大声，一浪接一浪的笑声随着落下的眼泪回荡在电话亭里。“她在等我？”他一下子推开电话亭的门，双拳在空中挥舞。

“您打来电话说要徒步走来时，我还担心您领会错事情的关键了。但原来是我错了。这是很罕见的治疗方法，我不知道您是怎么想到的。但或许这就是世界所需要的，少一点理性，多一点信念。”

“是的，是的。”他还在笑。他实在停不下来。

“我可以问一下旅程进度怎样了吗？”

“很好，非常好。昨天还是前天我在旧索德贝里过的夜，已经过了敦克尔克，现在我想我是在内尔斯沃思。”连这句话都是有趣的。电话那头也在嗤嗤地笑。

“真不知道这些名字是怎么来的。您大概什么时候会到？”

“让我想想。”哈罗德擤擤鼻子，将最后一滴泪擦干，低头看表，想着最快能坐上哪一班火车，要停几次站。接着他又想了一遍自己和奎妮之间的距离，那些山、那些路、那些人、那片天空。就像刚出发时的那个下午一样。不同的是这一回，他自己也在画面当中了。有点疲倦，有点伤痛，背向整个世界，但这次他不会让奎妮失望。“大概三个星期吧，差不多。”

“我的天，”电话那头笑道，“我会转告她的。”

“还有，请叫她不要放弃。告诉她我会走下去。”他又笑了，因为电话那头又传过来一阵笑声。

“我保证转达。”

“就算害怕，也叫她一定要坚持，一定要活下去。”

“我相信她会的。上帝保佑您，弗莱先生。”

哈罗德从下午一直走到黄昏。他又知道自己为什么要这么做了，实际上，现在比任何时候都更清晰明白。打电话前那种强烈的怀疑感消失了，他又逃过了一劫。原来还是有奇迹的。如果坐上汽车火车，他一路上都会以为自己是对的，其实却是大错特错。他几乎已经放弃，却又有了转机，让他坚持下去。这回他再也不会放弃了。

前往斯特劳德的路上，哈罗德经过一个废料桶，一件奇怪的东西吸引了他的目光。他停下来，翻开几块胶版，赫然发现那是一个睡袋。他捡起来抖掉上面的灰尘，虽然睡袋破了，里面的棉花像柔软的白色舌头一样伸出来，但破口并不大，拉链也还能用。哈罗德把睡袋卷成一卷，走向垃圾车旁的房子。屋主听完哈罗德的故事，把妻子叫出来，给他拿过来一杯茶、一把折叠椅和一块瑜伽垫。哈罗德谢了他们，再三表示一个睡袋已经足够了。

女主人说：“请你一定要小心。上周我们这儿的加油站刚被四个持枪歹徒打劫过。”

哈罗德向她保证虽然自己相信人性本善，但还是非常警惕的。暮色浓重了，像一层厚厚的皮毛覆上屋顶树梢。

看着家家户户透出的昏黄灯光，灯光中忙忙碌碌的人影，哈罗德想着他们等一下会怎样爬上床，在梦中沉沉睡去。当他自由地行走时，他惊讶地发现自己依然十分在乎他们，为他们有一个安全温暖的栖身之处而感宽慰。反正一直以来都是这样，他总是和他们有一段距离。月亮的轮廓渐渐清晰，圆润而饱满，像一枚透出水面的银币，高高挂在夜空。

他试了试一个小车棚，门是锁着的；他又在一个儿童游乐场上站了很久，奈何实在无瓦遮头；还有一栋建造中的房屋，窗口都用塑料床单封住了，哈罗德不想不问而入。几缕白色云朵闪着光，像黑银相间的鲭鱼，所有屋顶、马路都浸在一片最柔软的蓝色里。

爬上一座陡峭的小山，泥泞小路的尽头是一个谷仓。没有狗，也不见有车，仓顶和三面墙是波浪状的铁片，最后一面墙盖着一块防水油布反射着月光。他掀起油布的一角，弯身钻了进去，里面的空气很干燥，带有淡淡的甜味，有种令人安心的静谧。

稻草堆一捆捆摞起来，有些比较低，有些几乎就要碰到屋椽了。哈罗德爬上去，在黑暗中找到落脚点。比想象中容易一点。帆船鞋下的稻草发出唰唰的声音，双手触处只觉非常轻柔。他展开睡袋，跪下来打开拉链，定定躺着，动也不动，但没过一会儿他担心头和鼻子可能会冻着。于是他打开背包，找到给奎妮的软羊毛贝雷帽。她不会介意借给他戴一下的。山谷那头，点点灯光在黑暗中微微摇曳。

哈罗德的脑海渐渐澄明，身体像是融化了。雨点落在仓顶、油布上，雨声轻柔，充满了耐心，像莫琳以前给幼年的戴维唱催眠曲一般。雨停时哈罗德还有点不舍得，好像这声音已经成了世界不可或缺的一部分。这一刻，天空、大地和他之间，似乎已经没有什么距离。

拂晓前哈罗德就醒了。他撑起手肘通过间隙望向仓外，白昼正打退黑夜，曙光渗入视野，苍白得几乎没有颜色。随着远处的轮廓渐渐清晰，曙光越来越坚定，鸟鸣突然响起，夜空渐渐转为深灰、乳白、桃红、靛青，最后定格成一片蓝。一道隐隐的雾气爬过山谷，山顶和房屋都像从云中升起一样。月亮此刻已经模糊不可辨了。

他就这样顺利度过了在外面的第一个夜晚，哈罗德先是觉得有点不可思议，接着又变成了喜悦。他在地上跺着脚、擤着鼻子，突然很想告诉戴维这个小小的成就。空气中悸动着鸟儿的歌唱、生命的气味，他感觉就像站在昨晚的雨中。他赶紧卷起包袱，又回到了路上。

他走了一天，看到泉水就弯身喝一口，尽情体会手中那一掬清凉。中途在路边小摊位，他停下来买了一杯咖啡、一串烤肉。摊主听完哈罗德的故事之后坚决不肯收钱，说他自己的母亲也得过癌症，正在康复，能请哈罗德吃一点东西，他十分开心。他经过斯拉德，看到一个面目和善的女人从楼上窗口朝他微笑；他又从那走到伯德利普。阳光穿过克兰拉姆树林的枝叶，在厚厚的山毛榉落叶上洒下灵动的金箔。在一间小小的废弃木屋里，哈罗德度过了野外的第二个晚上。第二天他开始向切尔滕纳姆进发。

前方的黑山和马尔文山矗立在视野两端，哈罗德可以看见远处工厂的屋顶，格洛斯特大教堂模模糊糊的轮廓，还有一些微小的影子。一定是房子和来往的汽车。那里有如此多事情在发生，如此多生命在忙碌、受苦、奋斗，全然不知在这座小小的山上，有一个他坐着，静静眺望。又一次，他觉得自己既超然物外，又是眼前世界的一部分，既和他们有千丝万缕的联系，又不过是个匆匆过客。哈罗德开始明白这也是他旅程的真谛。他既是一个伟大过程的一部分，又不属于这个伟大的事物。

为了坚持到底，他一定要诚实坦然地面对最初推动自己迈出步子的感觉。别人选择的方法不同并没有关系，这是无可避免的。他会继续顺着大路走下去，因为除却偶尔飞驰而过的汽车，他感觉这里是更安全的。没有手机并不要紧，没有计划也无所谓，他有一张完全不同的地图，就在他脑海里，由一路上走过的地方、遇过的形形色色的人组成。他还是不会换掉自己的帆船鞋，因为无论多么破烂，那都是他的鞋子。他发现当一个人与熟悉的生活疏离，成为一个过客，陌生的事物都会被赋予新的意义。明白了这一点，保持真我，诚实地做一个哈罗德而不是扮演成其他任何人，就变得更加重要。

这一切都合情合理。那这段旅程的本质还有什么在困扰着他呢？他将手伸入裤袋，不停拨弄袋子里装着的硬币。

他又想到那个没有孩子的善良女人，还有玛蒂娜的一番好意。她们给他食物、庇所，即使他怯于接受。在接受的过程中，他也学到了新的东西。给予和接受都是一份馈赠，既需要谦逊，也需要勇气。他想到了躺在谷仓里内心的平静。他让这些东西一遍一遍在脑海里回放，脚下的大地一直伸向远处的天际线。一瞬间他明白了。他明白了自己需要怎么做才能到达贝里克。

在切尔滕纳姆，哈罗德把他的洗衣粉给了一个正要走进洗衣店的学生。在佩雷斯贝里，他遇见一个找不到钥匙的女人，他把手动电筒给了她。第二天他把胶布和消毒药膏都给了一位母亲，她的孩子跌破了膝盖正在号啕大哭，哈罗德于是顺便把梳子也送出去了，用来引开孩子的注意力。《大不列颠旅游指南》他给了一对在克利夫山附近迷了路，正不知所措的德国夫妇，而且既然他已经对那本植物百科非常熟悉，干脆也一并送给了他们。他将送给奎妮的礼物重新包装过：蜂蜜、玫瑰石英、闪亮的纸镇、罗马钥匙圈，还有那顶羊毛帽。给莫琳的礼物则全部放到一起，找了一间邮局寄了出去。背包和指南针留下了，因为它们不是他的，他无权转送他人。

他会经温奇科姆到百老汇，再到米克尔顿、克利福德堂，然后是艾冯河畔的斯特拉特福德。

两天后，莫琳正在把豆藤缠上竹架，突然听到有人叫她收快递。她打开盒子，看到一堆礼物，还有哈罗德的钱包、手表和一张印着科茨沃尔德长毛绵羊的明信片。

上面是哈罗德的字迹：“亲爱的莫琳：请查收包裹里的借记卡等物。我不想带着这么多东西走路，如果一切从简，我知道我会走到的。常常想你。H.”莫琳爬上前门廊厅，已经感觉不到自己有双脚。

莫琳将哈罗德的钱包塞进床头柜，压在三人全家福的下面，又把明信片钉在雷克斯送的地图上。

“噢，哈罗德。”她轻轻地叹了一句。心底深处，她想着，不知道千里之外的哈罗德，是否能听到这一声叹息。

19

哈罗德与旅程

从来没见过这么好的五月天。每一天都碧空如洗，花园里挤满羽扇豆、蔷薇、翠雀花、金银花、羽衣草，虫儿盘旋飞舞，跳来跃去。哈罗德走过开满金凤花、罂粟、牛眼雏菊、三叶草、野豌豆、剪秋萝的草坪，灌木丛被垂下来的接骨木花笼上淡淡的甜香，当中还点缀着野生的蔷薇、铁线莲、啤酒花。路旁的小菜园也是一幕生机勃勃的景象，生菜、菠菜、早土豆、甜菜根、糖莴苣、绿豌豆排得整整齐齐，刚成形的醋栗挂在枝头，看起来就像绿豆荚。种菜的人把多余的蔬菜果实放在路边，挂上一块牌子，写着“请随便拿”。

哈罗德知道他找对了方向。他给遇见的陌生人讲述奎妮和加油站女孩的故事，询问他们是否愿意给予协助。作为回报，他会倾听他们的心里话。人们有时给他一个三明治，有时是一瓶水，有时是一贴新膏药。他从来需要多少拿多少，绝不多要一点，偶尔会很客气地谢绝别人捎他一程、提供徒步设备或路上干粮的好意。他从弯弯的豆茎上掐下一排豌豆荚，贪心地吃着，像吃零食一般。他见过的人，走过的小镇，都是旅程的一部分，每到一个地方，他都牢牢将它记在心里。

自谷仓那晚开始，哈罗德每天都睡在野外。他会选个干燥的地方，并且非常小心，不弄乱任何东西。他在公厕、喷泉、溪边洗漱，在没人注意的时候冲一冲衣服。他时不时会想起那个已经被他忘了一半的世界，那里有房子、有马路、有汽车，人们每天都要洗澡，一日要吃三餐，晚上要睡觉，还要互相陪伴。他很高兴那个世界里面的人安全无恙，也很庆幸自己跳出了那个世界。

哈罗德走过大街小巷，也走过山间小径。指南针颤悠悠地指着北方，他一往无前地顺着指针方向走着。无论白天还是晚上上路，一切随心而欲，走过一英里，再走一英里。当脚上水泡实在疼得厉害，他就用胶带缠一缠。累了就睡一觉，睡醒又继续。有时他在黎明的晨光中与高峰期车流一块前进，有时他在如眉的弯月下踏着星光前行，月光下的树干像骨头一样发着森森白光。狂风暴雨挡不住他的脚步，阳光炙烤下他依然不停前行。好像他等了一辈子，就是为了走这一趟，他不再在乎自己走了多远，只要还在向前走。苍白的科茨沃尔德石头换成了沃里克郡的红砖，脚下已经是英格兰中部的平原。哈罗德无意中拂过嘴边，发现已经蓄了厚厚一团胡子。奎妮会活下来的，他知道她会的。

最奇异的事情是，有时会有一个司机追上他，浮光掠影地看到这样一个穿着衬衫、打着领带的老人家，或许还穿着帆船鞋，觉得他也没什么两样嘛，随即呼啸而去。这实在太有趣了，他没法不感到快乐，为自己和脚下的那片泥土。为了这种简单，他可以笑完又笑。

从斯特拉特福德开始，他向沃里克进发。在考文垂以南的巴金顿，哈罗德遇到一个十分随和的年轻人，他有温和的蓝眼睛，还有长到颧骨以下的鬓角。他告诉哈罗德他叫米克，还给他买了一杯柠檬水。为他的勇气，年轻人举起酒敬了哈罗德一杯。“你一路就是靠着陌生人的好意走过来的？”他问。

哈罗德笑笑：“不，我也十分小心。天黑后我不会流连在城市中心，也不去惹什么麻烦。大多数情况下，肯停下来倾听的人都是愿意提供帮助的人。也有一两次我害怕过，在A349国道上我曾经以为有个男人想打劫，但实际上他只是想给我一个拥抱。他的妻子也是患癌症去世的。因为他没有门牙，我还误会了他。”他看见自己端着柠檬水的手指，发现它们黑透了，指甲微微开裂，变成了棕色。

“你真的从心底里相信你可以走到贝里克？”

“我不焦急，但也不拖拉。只要一步接一步往前走，总会到的。我已经开始觉得从前我们做得实在太多了，”他笑笑，“不然长这两条腿是为什么呢？”

年轻人舔一舔嘴唇，仿佛在品尝还未放入嘴里的东西：“你现在做的事情就相当于二十一世纪的朝圣。太棒了，你的故事就是人们想听的故事。”

“你看方便再要一包盐醋薯片吗？”哈罗德问，“我从中午开始就没吃过东西了。”

两人分手前，米克询问哈罗德可不可以让他用手机拍一张照。“就是留个纪念。”为了不让闪光灯影响旁边几个正在玩飞镖的当地人，他说：“可以请你移步到外面吗？”

他让哈罗德站在一块指向西北方的伍尔弗汉普顿指示牌下。“我要去的并不是那里。”哈罗德说。但米克说这种细枝末节没有关系的，况且天也黑了。

“看着我，好像你已经筋疲力尽一样。”米克说。

哈罗德发现这实在是太容易了。

贝德沃斯、纳尼顿、特怀克罗斯、朱什的阿什比。穿过沃里克郡和莱斯特郡以东，到德贝郡，再往前走。有些日子他可以走超过十三英里，有些日子因为马路弯来绕去，他只走了六英里不到。天空蓝了，黑了，又蓝了。连绵的小山在工业城镇间缓缓起伏。

在提克诺尔，哈罗德奇怪地发现两个徒步旅行者定定地盯着他看。在德贝以南，一个过路的士司机向哈罗德高高竖起大拇指，还有个戴着紫色小丑帽的街头艺人停在他面前拉手风琴，咧着嘴对他笑。在小切斯特，一个金发姑娘给了他一盒果汁，还满脸欢喜地抱了他一下。再过一天，在黎普列，一群莫里斯舞者见到他，齐齐放下啤酒，为他喝彩。

奥尔弗里顿。克雷科洛斯。切斯特菲尔德教堂塔尖微弯的轮廓告诉他，他已进入皮克区。一天早晨，在德龙菲尔德的外带咖啡店里，一个男人把自己的柳木手杖给了哈罗德，还捏了捏他的肩膀。接下来的七英里，谢菲尔德一个女店员把自己的手机塞到哈罗德手里，让他给家里打个电话。莫琳说她很好，虽然浴室的花洒有点漏水。她问哈罗德有没有看新闻。

“没有。莫琳，我从出发那天开始，就连报纸都没看过。怎么了？”

他并不确定，但是好像听到了轻轻的一声抽泣。她说：“你上新闻了，哈罗德。你和奎妮·轩尼斯。到处都是关于你们的报道。”

20

莫琳与公关代表

自从哈罗德的故事在《考文垂电报》上登出来，福斯桥路就没有一天安宁过。正是没有什么新闻的时候，有人打电话到广播节目说起这个故事，好几家当地报纸都开始注意，《南哈姆斯公报》报道了整整三版。再加上一两家全国报纸，一夜之间，所有人的兴趣都来了。哈罗德的徒步旅程成了广播四台“今日之思”的主题，继而激发了一系列主题报道，讨论现代朝圣的本质、英格兰的精髓、“英雄”一代的勇气。到处都有人谈论这件事，商店、操场、公园、酒吧、派对，还有办公室。故事引发了人们无限的想象，就像米克当初向编辑保证的那样。随着报道越写越离谱，故事细节开始被改动。有些人说哈罗德已经七十多岁，还有人说他有学习困难症。在泰晤士河和皮克区的康沃尔郡、茵文尼斯、金斯敦，都有人声称看到了他。一群记者天天在莫琳那被踩得乱七八糟的菜园前等候，还有一小队当地电视台人员在雷克斯的女贞树篱旁搭起了临时帐篷。只要有电脑，你还可以在推特上跟踪他的进度。莫琳家没有装电脑。

最让她震惊的是当地报纸登出了哈罗德的照片，他看起来完全变了个样。从他出门寄信只过了六个星期，他看起来居然高大了不少，还透着一种自信。他还穿着那件防水外套和领带，但是头发乱成了一团，下巴胡须丛生，皮肤黑得要很努力才能从中看出她自认再熟悉不过的那个人。

报道标题是《哈罗德·弗莱不可能的朝圣》。文章讲述了一个金斯布里奇的退休老人（那里同时也是南德文郡小姐的故乡）身无分文踏上徒步走向贝里克郡的旅程，既没有地图也没有手机，他是二十一世纪的英雄。文章末尾配了一张小小的照片，照片中是两只帆船鞋，下面写着“将要征服五百英里路的鞋子”，看起来有点像哈罗德那双。很明显他们非常满意这期报道的销量。

地图上的蓝色线头弯弯曲曲从巴斯延伸到谢菲尔德。莫琳算了算，按这种速度，哈罗德还有几个星期就能到贝里克了。但除却他触手可及的成功，除却莫琳欣欣向荣的花园和她与雷克斯日渐深厚的友情，除却每天堆满信箱的支持者和癌症康复者的支持信、祝愿信，莫琳有时会突然孤单得无法忍受，她想尖叫出来。她从来没把这些告诉过雷克斯，只是在这种时候回到卧室，拉上窗帘，埋进羽毛被里狠狠号叫一阵。早晨赖在床上不起来真是一件太容易的事了。不搞卫生，不再吃饭，实在是太容易的事情了。一个人坚持下去需要无穷无尽的勇气。

猝不及防地，一个年轻女人给莫琳打来电话，主动请缨做她的公关代表。她说人们都想听听她的故事版本。

“但我没有什么故事。”莫琳说。

“你对你丈夫的做法有什么想法？”

“我想他肯定很累。”

“你们婚姻有问题，是真的吗？”

“不好意思，你说你是哪位？”

年轻女人重复了一遍专门研究人际关系之类的话。她的工作就是保护她的客户，将其最令人同情的一面展现给公众。莫琳打断她的话，问她介不介意稍等一下，有个摄影记者正站在她种的豆藤上，她要敲敲窗户提醒一下他。

“我可以从很多方面帮助你。”年轻女人说。她提到了情感支持，早餐时段的电视采访，还有二流派对的邀请函。“只要你想要，我就可以帮你解决。”

“谢谢你，但我对派对从来没什么兴趣。”有时她不知道哪件事才更疯狂，是她脑子里的世界，还是在报纸杂志上读到的那些故事。她谢过女郎慷慨的建议："但我不确定我真的需要帮助。当然，除非你会熨衣服。"

她将这些告诉雷克斯时，他笑了。她想起公关女郎可没有笑。他们在雷克斯家喝咖啡，因为莫琳的牛奶喝完了，而花园外总等着一小群粉丝，盼望得到哈罗德的近况。他们带来了邓迪蛋糕、手织袜子，但正如莫琳向好几个好心人解释的那样，她并没有转寄给哈罗德的地址。

"有记者说这是一个完美的爱情故事。"她轻声说。

"哈罗德并没有爱上奎妮·轩尼斯。他徒步不是为了这个。"

"那个公关代表问我们之间有没有什么问题。"

"你要对他有信心，莫琳，也要对你们的婚姻有信心。他会回来的。"

莫琳仔细研究着自己的裙边。针脚已经松了，还掉了一小块。"但是坚持这些信念真是太难了，雷克斯。真的会感到实实在在的痛。我已经不知道他还爱不爱我，他爱的是不是奎妮。有时我想如果他死了，一切都会简单许多。至少我会知道自己该站在什么位置。"她脸色苍白，抬头看向雷克斯，"我居然说了这么可怕的话。"

雷克斯耸耸肩："没关系的。"

"我知道你有多想念伊丽莎白。"

"我每时每刻都想着她。脑子里清楚她已经走了，却还是忍不住张望。唯一的变化是我渐渐习惯了那种痛。就像在平地发现了一个大坑，一开始你总是忘记有个坑，不停地掉进去。过一段时间它还在那里，但你已经学会绕过它了。”

莫琳咬着嘴唇点点头，毕竟她也经历过这样的悲伤。她又一次惊讶于人心所持续感觉到的那种纷乱。对于一个和雷克斯在街上擦肩而过的年轻人，他只是一个无助的老人，和现实脱节，消耗了所有力气。但在那蜡一样苍白的皮肤下，在那肥胖的身躯里面，跳着一颗和十七八岁少年没什么区别的心。

他问：“你知道我失去她后最后悔的是什么吗？”

她摇摇头。

“我最后悔没有搏一搏。”

“伊丽莎白得的是脑癌，雷克斯。你可以怎么搏？”

“医生说她会死的时候，我只是握着她的手，选择了放弃。我们都放弃了。我知道这也许不会改变什么，但真希望当时我让她看见我有多么想留住她。莫琳，我应该大怒一场的。”

他端着茶杯，弓着身子，仿佛在祈祷。没有抬头，只是专注地、低声地重复几个字，碟子上的茶杯轻轻颤抖。她从来没有见过他这个样子，他的手指关节都发白了。“我应该大怒一场的。”

莫琳一直想着这段对话。她的情绪又低落下来，连续好几个小时盯着窗外，回忆过去，几乎什么也不做。她细细回想过去的自己，那个认为自己可以给哈罗德一切的女人，再打量现在的自己，连一个妻子都算不上。她又把哈罗德床头柜的两张照片拿出来，一张是婚后不久拍的她的笑脸，一张是戴维穿上第一双鞋子的照片。

突然第二张照片的一个细节吓了她一跳，她多看了一眼。那只手，那只扶着戴维摇摇晃晃单脚站起来的手。一阵冷意顺着她的脊背传下去，那只手不是她的，是哈罗德的。

照片是她拍的。当然是她，现在她记起来了。哈罗德正拉着戴维的手，她转身去拿相机。怎么会把这一幕从脑海中丢掉呢？她怪了哈罗德那么多年，说他从来没有抱过他们的孩子，从来没给过一个孩子需要的父爱。

莫琳走进那间最好的房间，拿出已经没有人看的相册。书背铺满了厚厚的尘埃，她直接用裙子擦掉，忍着泪仔细翻看每一页。大部分是她和戴维的照片，但还有其他。婴儿时的戴维躺在哈罗德腿上，哈罗德低头看着他，双手举在空中，好像强忍着抱他的冲动。还有一张，戴维骑在哈罗德的肩膀上，哈罗德使劲伸着脖子保持平衡。少年时期的戴维和哈罗德并肩而坐，年轻人一身黑衣，留着长发，父亲则穿着夹克打着领带，两人都盯着金鱼池。她笑了。他们都曾经试过走近对方，虽然并不明显，并不频繁。但哈罗德是尝试过的，连戴维也偶尔努力过。她把摊开的相册放在大腿上，怔怔地望着半空，看到的不是窗帘，而是过去。

她又找到了在班特姆戴维卷入海浪那天的照片。她看着哈罗德解开鞋带。她花了好多年责怪他这件事。然后她又从一个新的角度看到这幅画面，仿佛照相机转了一百八十度，镜头对着她。她的胃在跳动。海边有一个女人，挥着双手尖叫，但是她也没有跑进海里。一个半恐惧半疯狂的母亲，却什么都没做。如果戴维真在班特姆淹死了，她也要承担同样的责任。

接下来的日子更难过了。满地都是打开的相册，因为她实在无法将它们放回去。她清早洗了一洗衣机衣服，却任由它们在洗衣筒里闷得发臭。她试着用饼干和芝士果腹，因为她无法鼓起力量烧水做饭。她能做的只有回忆。

哈罗德打电话回来，除了听，她几乎一句话都说不出。偶尔呢喃一句“天啊”，或者“谁能想到呢”。他跟她讲他休息的地方，木材仓库、工具棚、木屋子、公车站、谷仓。他口中的词语带满活力一个接一个蹦出来，她觉得自己已经老得快风化了。

“我尽量不弄乱人家的地方，也从来没砸过锁。”他说。他知道每一种灌木植物的名字，还有它们的用途，当时就列了好几种，但她跟不上。他告诉她现在正在学自然定向，向她形容见到的陌生人，他们提供什么食物，还帮他修鞋，连吸毒、酗酒的边缘人也来帮他。“只要你停下来听一听，莫琳，你就会发现其实没什么人是可怕的。”他好像和每个陌生人都有时间聊天。他在她眼中太难理解了。这个孤身上路，与陌生人攀谈的男人。所以，她只用高一个调的声音说了些烦人的小事，像姆囊炎，坏天气。她没有说“哈罗德，我冤枉了你”。也没有说她其实很享受在伊斯特本的时光，告诉他自己后悔当初没有同意戴维养狗。她没有问“真的太迟了吗”？但整个电话过程中，她都在心里想这些话。

孤零零地，她坐在清冷的月光中，哭了仿佛有几个小时那么久，仿佛只有那轮孤寂的月亮明白她的内心。连对戴维倾诉的勇气都没有。

莫琳看着金斯布里奇街上穿过黑暗的路灯。这个安全的、熟睡的世界里没有她的位置。她禁不住去想雷克斯，还有他心中尚存的对伊丽莎白的遗恨。

21

哈罗德与跟随者

有人在跟踪他，哈罗德能感觉到。他走快一点，身后的人也走快一点，虽然两人还隔着一段距离，但他很快就会被赶上。他向前张望，街上一个人也没有，还没想清楚自己为什么要这么做，他已经一个急停，转过身来。柏油路在炙热的阳光下闪着微光，穿过黄澄澄的油菜花田，向远方延伸。路上的车子一闪而过，还不知道它是从哪里钻出来的，就已经呼啸而去，连车上的人都来不及看一眼。路上除了他没有其他人。

可是当他再次迈步，那感觉又出现了，寒意顺着皮肤爬上后颈，再蔓延到头皮。一定有谁在后面跟着他。哈罗德不想再回头，直接在车流中找了个空当，斜穿过马路，同时向左后方瞄了一眼。没看到什么人，但不一会儿哈罗德就知道那人又跟上来了。哈罗德再次加紧脚步，呼吸和心跳急促起来，全身都湿了。

这样不断回头、走走停停，过了大概半个小时，还是谁都没看见。但他知道路上不止自己一个人。只有一次，虽然一丝风也没有，灌木丛却在微微抖动。几个星期以来哈罗德第一次后悔没带手机。那天晚上他在一间没有门锁的工具棚里过夜，他躺在睡袋里动也不敢动，身体深处很清楚外面正躲着什么东西，在等待。

第二天早上往巴恩斯利走的时候，哈罗德突然听到有人从A61国道对面喊他的名字。树荫下有个戴着网球帽的瘦小年轻人跳来蹿去穿过车流，气喘吁吁地说他是来投奔哈罗德的。他语速非常快，自称“LF”。哈罗德皱皱眉。“维尔夫。”男孩好像这样重复了一句。他还是听不清。男孩只好重复第三遍：“维尔夫。”他看上去有点营养不良，好像二十岁还没到，脚上穿一双系着荧光绿鞋带的运动鞋。

“我要做个朝圣者，弗莱先生。我要拯救奎妮·轩尼斯。”他举起手中的运动袋，明显和运动鞋一样都是新买的，“我什么都带了，还有睡袋。”

哈罗德感觉自己像在和戴维说话。他们连手部动作都是一样的，微微抖着。

他还来不及反对，那个叫维尔夫的年轻人已经跟着哈罗德，紧张地喋喋不休起来。哈罗德努力听着，只要一转头，就可以在他身上看到戴维的痕迹：咬得不能再短的指甲，说的话像机关枪一样从嘴里蹦出来，好像并不是为了让人听懂。“我在报纸上看到你的照片，就祈求上天给我一个提示，我该不该跟弗莱先生上路。你猜他给了我什么回答？”

“我不知道。”一辆路过的小货车慢下来，司机将手伸出车窗，用手机拍了一张哈罗德的照片。

“他给我送来一只和平鸽。”

“什么？”货车开走了。

“也有可能是普通的鸽子啦，但重点是这是上天的提示。主是好的，弗莱先生，只要你向他问路，他就会给你提示。”

每次听年轻人叫自己，哈罗德就觉得有点不知所措。好像年轻人从哪里已经了解过他，很熟悉他，只是他不知道罢了。他们继续沿着草地边缘前进，虽然偶尔空间很窄，两人几乎无法并排走。维尔夫的步幅比哈罗德小，所以一直有点小跑的意味。

“我还不知道你有条狗呢。”

“我没有呀。”

年轻人做个鬼脸，往他肩上示意一下：“那这狗是谁的？”

他是对的。马路另一边，有一条狗定定地望向天空，呼呼喘着气，舌头伸出来吊在一边。是个小东西，秋叶一般的颜色，皮毛厚得像把刷子。它一定是在工具棚外等了一个晚上。

“那狗不是我的。”哈罗德说。

他迈开步子，年轻人又蹦又跳跟在身旁，哈罗德用余光看到那条小狗穿过了马路，也跟在他俩后面。每次哈罗德一回头，小狗就低头闪到一旁的灌木丛里，假装自己不存在，或是其他什么东西。或许它在装一尊狗雕像。

“去，去，”哈罗德叫道，“回家去。”

小狗歪着脑袋，好像哈罗德刚才说的是什么有趣的事情。它小碎步跑到哈罗德前面，把一块石头放到他鞋子边上。

“或许它没有家。”维尔夫说。

“它当然有家。”

“那就是它不喜欢家里。也许它主人会打它什么的，这种事又不少见。它也没有颈圈。”小狗又衔起石头，放到哈罗德另一只鞋子旁，然后它蹲坐在后腿上，抬头耐心地盯着他，不眨眼也不动。远方是皮克区阴沉沉的荒野。

“我没法再照顾一条狗。我又没有吃的，还要在车来车往的马路上走。这太危险了。小狗狗，回家去吧。”

他们试着把石头丢向草地，然后藏进灌木丛，但每次小狗跑过去捡起石头都能准确无误地跑回他们藏身的地方，且不停地摇尾巴。“问题是，我觉得他好像挺喜欢你，”维尔夫小声说，“它也想跟咱们一起走。”他们爬出灌木丛继续前进，这回小狗就大摇大摆地走在哈罗德身边了。再在A61国道上走就太不安全了。哈罗德转而上了车流少一点的B6132国道，虽然这样走会慢一点。维尔夫时不时就要停下来脱掉运动鞋抖掉里面的沙子。他们只走了一英里。

更吓了哈罗德一跳的是，一个在花园里摘枯花的女人把他认出来了。“你就是那个朝圣者，是不是？”她说道，“我必须说，你的壮举真是太棒了。”她打开钱包拿了一张二十英镑的纸币给他。维尔夫用帽子抹了下额头，吹了一声口哨。

“我绝对不敢接受。”哈罗德说着，感觉到年轻人的目光快要在他身上钻出两个洞来。“但如果能有几块三明治就太感谢您了，或许再来一些火柴蜡烛，今晚用来照个明。还有一小块黄油，这些东西我都没有。”他瞟了一眼维尔夫紧张的表情，“我想我们可能会需要这些东西。”

她坚持他应该留下来吃一顿家常便饭，也邀请了维尔夫。又让两位男士借用她的洗手间和电话。

“都疯了，”莫琳说，“有人试着闯进家里，雷克斯发现一个年轻人想把前面围墙的一块石头卸下来。”

哈罗德洗完澡，发现女主人已经请来一小群好友参加她临时举办的草坪酒会。他们见到他，都举起了杯子，祝奎妮早日康复。他从来没见过这么多反着梳的灰蓝色发髻，也没见过这么多芥末色、金色、红褐色的灯芯绒裤。一张放满了鱼子酱、小面包和冻肉的桌子下，趴着刚才那条小狗，两只爪子抓着什么东西，咬得津津有味。偶尔还有人丢一块骨头到远处，小狗会马上捡回来，等那人再丢一次。

人们津津乐道地分享他们乘游艇和射箭的历险，哈罗德耐心地听着。他看见维尔夫正兴致十足地和女主人谈天。她的笑总带有一种尖锐的质感，哈罗德几乎都忘记还有这种笑声了。他暗想如果偷偷离开的话，不知道会不会有人注意到呢。

哈罗德刚把背包背上肩，维尔夫就离开女主人跟上来了。“我一点儿都不知道原来朝圣是这个样子的，”他边说边用五根手指抓起一块烟熏鲑鱼薄饼塞进嘴里，好像那鱼还是活的一样。“你怎么要走了？”

“我要上路了。其实平时并不是这样的，通常我只是找个地方放下睡袋，谁也不会注意我。我已经连续好几天靠面包卷填肚子，找到什么吃什么。但如果你喜欢的话就留下来吧，我想他们肯定都会欢迎你。”

维尔夫盯着哈罗德，其实他什么都没听进去。他说：“大家都在问我是不是你儿子。”哈罗德突然温柔地笑了。回头看看酒会上的客人，他突然感觉自己在某种程度上和维尔夫是连在一起的，好像作为局外人，他们比实际上多了一些共同点。他们朝人群挥手告别。

“你做我的儿子还太小。”哈罗德拍拍维尔夫的手说道，“如果今晚想有地方落脚，我们最好赶紧开始找了。”

“一路好运！”客人们纷纷叫道，“奎妮一定会活下去的！”

小狗已经跑到门前，一行三“人”轻快地离开了。他们的影子像三根柱子一样落在地面上，越来越浓重的空气弥漫着接骨木花和女贞花的甜香。维尔夫对哈罗德讲了自己的故事。他尝试过许多事情，可是一事无成。如果不是主的话，他现在或许已经在监狱里了。有时哈罗德听进去了，有时则光顾着看黑暗中掠过的蝙蝠。不知道这个年轻人是否真的会陪他一路走下去，直到贝里克郡；还有那条小狗怎么办呢？不知道戴维有没有试过向主寻求帮助。远处烟囱喷出的浓黑加重了夜色。

才过了一小时，维尔夫的步履明显已经开始一瘸一拐了。他们几乎连半英里都没走完。

“你要休息一下吗？”

“我没事，弗莱先生。”但他已经在单脚跳了。

哈罗德找了个落脚处，两人早早安顿下来。维尔夫学他在一棵被风吹倒的榆树旁展开睡袋，斑斑点点的蘑菇从中空的树干里长出来。哈罗德摘了一朵，维尔夫单脚跳着大呼小叫说它们脏。接着哈罗德捡起叶子比较多的碎枝，填到树根脚下的泥洞里。有好一阵子没花这么多工夫打理晚上过夜的地方了。看见他在忙碌，小狗捡起一块石头，丢到哈罗德脚旁。

“我不会陪你玩丢石头的。”话是这么说，哈罗德还是丢了一两次。

他提醒维尔夫检查一下脚上的水泡。及时处理是很重要的，过一会儿他会教他怎样把水挤出来。“你会生火吗，维尔夫？”

“我会个屁，弗莱先生。你的汽油哪儿去了？”

哈罗德再解释了一次他没有带任何非必需的行李。他让年轻人找些木头过来，他则用指甲将蘑菇撕成一片片。蘑菇比想象中硬，但哈罗德希望它们味道还不错。他用背包里的旧罐头盒装起蘑菇放到火上烧，丢进去那一小块黄油，还有一些撕碎的野生葱芥。空气中飘荡起炸蒜泥的香气。

“吃吧。”他把罐头递给维尔夫。

“用什么吃？”

“手指。你吃完可以用我的外套擦擦手。明天我们也许能找到些土豆。”

维尔夫拒绝了。他笑了一下，像一声尖叫：“怎么知道这没有毒？”

“檐状菌都是无毒的。而且今晚也没有别的东西可以吃了。”

维尔夫把一小块蘑菇塞到嘴里，龇着牙吃下去，好像那块蘑菇会叮人似的。

“妈的。”他不停地埋怨，“妈的。”哈罗德笑了，年轻人越吃越多。

“味道也不差，”哈罗德说，“不是吗？”

“吃起来像他妈的蒜头，还有芥末。”

“那是叶子的味道。大多数野生食物都是苦的，你慢慢就会习惯。吃起来没什么味道，已经很好了。如果味道不错，那你就中奖了。也许我们晚点会找到红醋栗或野生草莓，如果你能找到一粒熟透的，那吃起来简直就像芝士蛋糕一样。”

他们盘腿坐下，看着篝火。身后遥远的谢菲尔德像一块发光的硫黄，如果你足够细心，还可以听见车子的声音，但他感觉这里离任何人都很远。哈罗德告诉男孩他是怎样学会生火煮东西吃的，还有怎样从一本在巴斯买的野生植物百科里了解了各种植物的特性。菌类也有好坏之分，他说道，你一定要学会辨别，比如说千万别把簇生垂幕菇当成侧茸羊角菇。偶尔他朝篝火吹一口气，渐渐变小的火又旺了一些。点点火星升起，只亮了一瞬便融入黑暗。空气中是哔哔啵啵的声音。

“你不会怕吗？”维尔夫问。

“我小时候，父母不想要我。后来遇到我老婆，生了个孩子，也弄砸了。反正我已经在野外待过那么多天，好像也没什么可怕的。”他真希望戴维能听见这番话。

哈罗德用一张报纸把罐头擦干净放回背包，男孩随手捡起一块石头丢进灌木丛，小狗兴奋地吠着冲进黑暗，一会儿就衔着石头回来了，放到维尔夫脚边。哈罗德突然发现自己已经习惯了一个人，习惯了寂静。

他们躺在睡袋里，维尔夫提议能不能去打猎。哈罗德说：“我不反对别人这么做，但我不会去，希望你别介意。”

维尔夫握着拳闭上了眼。他的指甲很短，指尖的皮肤看起来非常柔软，头像孩子一样低着，小声呢喃着什么。哈罗德没注意去听，他希望除了自己之外，还有人，或什么东西，能做他的听众。两人睡着时，天空还有一线亮光，云很低，一丝风也没有。一定不会下雨的。

虽然愿望如此，半夜，维尔夫还是突然颤抖着尖叫起来。哈罗德把男孩揽入怀里，男孩全身都湿透了。他开始担心自己是不是认错了蘑菇，但这么久以来从没出过问题呀。

“是什么声音？”维尔夫哆嗦着问道。

“是狐狸而已，也可能是狗。还有羊，我肯定一定有羊的声音。”

“但我们一路过来都没看见过羊呀。”

“是没有，但到了晚上你会听到各种动物的声音，很快就会习惯了。别担心，没有什么可以伤害到你。”

他轻轻摇着男孩，哄他入睡，就像戴维在湖区受惊后莫琳哄他睡觉一样。“没事的。”他学着莫琳一遍又一遍地重复。他后悔自己没有找个更好一点的地方让维尔夫度过这第一晚。前几天有一间开着门的玻璃亭，里面还有一张柳藤椅，哈罗德睡得很舒服。即使睡在桥下也比这里好，虽然有可能太引人注目。

“真他妈的吓人。”维尔夫牙齿格格地响。哈罗德拿出奎妮的编织帽，戴到男孩头上。

“我以前有时会做噩梦，但是一上路它们就停止了。你也会的。”

好几周以来，哈罗德第一次彻夜未眠。他一边照顾男孩，一边回忆过去，问自己戴维为什么选择了那样的路，自己是否应该早一些看出什么蛛丝马迹来。如果他的父亲是另一个人，一切会有所不同吗？这种问题已经好久没有困扰他了。小狗静静躺在一旁。

黎明降临，月亮淡成一枚苍白的晕黄，向朝阳投降。他们走过挂满露珠的草地，草和车前草粉色羽毛状的叶尖扫过小腿，又凉又湿。露水如宝石挂在枝头，一张张蜘蛛网像柔软的衬垫结在草尖上。太阳很低，却很亮，把周围的事物照得变了形，变了色，模糊了形状，他们仿若走进一片迷雾。他让维尔夫看看草地上留下的浅浅印记，“那是我们留下的。”他说。

维尔夫的新运动鞋依然磨脚，睡眠不足也使哈罗德快不起来。用了两天时间他们才走到维克菲尔德，但哈罗德无法丢下年轻人自己上路。年轻人晚上还是会被噩梦惊醒，他说自己从前做了许多坏事，但主一定会救他的。

哈罗德却不那么肯定。男孩瘦得可怜，情绪波动也大。前一分钟还在和小狗嬉戏着向前跑，后一分钟就沉默下来。哈罗德告诉他自己怎样总结出灌木植物和天空气象的变化规律，想分散他的注意力。他告诉他低空层云和鹅卵石一样的高空卷云有什么区别，和怎样通过影子判断行走的方向：枝叶茂盛的一边很明显受到更多日照，是南面，那么两人就该朝着相反方向走。维尔夫看起来学得很专心，但时不时会问一个问题，让人看出他根本没留心。两人坐在一株白杨下，听它的枝叶在风中摇晃。

“摇晃的树木，”哈罗德说，“你一眼就可以看到它们。晃得可厉害了，从远处看简直像有光罩着它们。”

他给维尔夫讲自己一路上遇到的人。有住稻草屋的女人，有带着一头山羊开车上路的夫妇，还有一个每天走六英里路去打天然泉水的退休牙医。“他告诉我，我们应该接受大地馈赠的一切，那是大地的恩赐。从此我就立意喝路上碰见的泉水解渴。”

讲述着这一切，哈罗德才意识到自己改变了多少。他很享受用杯子在烛火上烧开水，每次只烧一点，给维尔夫喝，从酸橙树上摘下花蕾泡花茶，还教他吃牛眼雏菊、菠萝草、云兰、啤酒花芽。他感觉自己在弥补从前没为戴维做过的事情。他有太多东西想教给维尔夫。

“这些是野豌豆荚。它们是甜的，但吃太多对身体不好。伏特加也是一样，你可要小心点。”维尔夫刚刚塞了满满一嘴，闻言一下子全吐出来。

“我倒宁愿来点伏特加，弗莱先生。”

哈罗德假装没听见。两人在河边蹲下，等一只鹅生蛋。终于看见鹅蛋时，男孩兴奋得又叫又跳，巨大的白色鹅蛋湿漉漉地躺在草地上。“妈的，真臭！从它屁股里出来的！要不要扔它点什么东西？”

“那只鹅？不要。给小狗丢一块石头吧。”

“我还是更想打鹅。”

哈罗德带维尔夫离开，假装没听见那句话。

他们有时会聊起奎妮·轩尼斯，还有她在细节上表现出来的仁慈。他形容她反过来唱歌的样子，总像叫人猜谜一样。

“我想没什么其他人知道她这一面。”他说，“我们会跟对方说平时不对别人说的话。在路上敞开心扉比较容易。”他给年轻人看包里为奎妮带的礼物。男孩特别喜欢埃克赛特教堂那个一倒过来就闪闪发亮的纸镇。哈罗德发现维尔夫有时候会从他包里翻那个纸镇出来玩，于是提醒他小心一点。结果，男孩拿出更多纪念品，有一块打火石，一片珠鸡的花羽毛，还有一块套着戒指的石头。有一次他拿出一只小小的花园地精像，说是在垃圾桶里翻出来的。还有一次他带回来三品托牛奶，不停地说是免费大派送得来的。哈罗德叫他别喝得太猛，但他像没听到一样，十分钟后便开始头晕恶心。

还有好多其他小玩意，哈罗德只好趁维尔夫不注意偷偷丢掉，还要小心别让小狗看见，它最喜欢把丢掉的东西衔回来放到哈罗德脚边。有时候男孩发现新奇玩意儿会满脸欣喜地转过来朝他大喊大叫，哈罗德的心就五味杂陈。本来戴维也可以这样的。

22

哈罗德与朝圣者们

第四十七天，哈罗德的队伍加入了一个中年女人和两个孩子的父亲。凯特说自己因为找不到生活的意义而痛苦。她穿着黑衣，身材矮小，走起路来非常快，下巴总是微微突出向上，好像在努力从宽帽檐下看清这个世界一样。她细细的发尖凝着汗水，一抬手就能看到袖子下方半月形的汗渍。

“她真胖。”维尔夫说。

“不该这么说人家。”

“但她就是胖呀。”

男人自称里奇，是理查德的简称，姓里昂。他从前是金融界的人，四十出头就退了休，从此无所事事。哈罗德的故事激发了他心底的希望，他自结婚之后就没有这样的感觉，于是收拾几样生活必需品就出门了。里奇很高，和哈罗德一样，说话带点鼻音，自信满满。他穿着专业的徒步靴、迷彩服，戴一顶网上买的袋鼠皮帽子。还有一顶帐篷，一个睡袋，一把救急用的瑞士军刀。

“说老实话，”他坦陈，“我把什么都搞砸了。我是被解雇的，房子也没了。老婆离开了我，连孩子也带走了。”他用小刀扎着土地，“我的儿子，哈罗德。真想他们啊。想让他们为我骄傲。你有没有想过跨越国界？”

一行人走在通往利兹的路上，对路线起了分歧。里奇想绕开城市穿过荒原。凯特想顺着A61国道前进。维尔夫则要停下来休息一下。哈罗德听着旅伴们的争吵，既感恩又觉得有趣，但也有一丝不自在。他已经一个人走了那么久，突然多了这么多同伴，其实挺累人。况且他还要尽快赶到奎妮身边。但既然他们选择了与他同行，支持他的计划，他就感觉应该对这个小小的团队负责，仿佛是他主动请他们加入似的，一定要听取他们的要求，保证他们一路平安。里奇认为他们走得太慢了，凯特则坚持张弛有度劳逸结合。维尔夫闷闷不乐地走在哈罗德身旁，双手坠着衣袋，抱怨他的疲累。哈罗德又找到了和戴维在一起的感觉，希望自己表现得更亲和，担心内心的不安会被他误会成傲慢。又过了一个多小时才找到大家都愿意过夜的地方。

没过两天，里奇和凯特就吵翻了。并不是因为她说了什么，他这样告诉哈罗德；而是因为她的态度，举手投足都好像自己高人一等一样，其实不过比他早到了三十分钟。“而且你知道吗？”里奇几乎喊起来，哈罗德表示不知道，只觉得十分疲倦，“她是开车过来的！”到达哈罗盖特，凯特提议大家到皇家巴斯梳洗一下。里奇轻蔑地笑笑，但是也承认他的小刀差不多该换一块新刀片了。哈罗德什么都不想做，就坐在市政花园里等，其间又遇到几个祝他好运的过路人。维尔夫干脆好像消失不见了。

等到每个人回来，队伍又多了一名成员，一个年轻人刚刚因癌症失去了妻子。小伙子说想让更多人关注这个折磨奎妮和他妻子的疾病，所以他穿上了大猩猩戏服。哈罗德还没来得及说不，维尔夫就出现了，虽然步履艰难，慢得可以。

“老天都受不了的。”里奇说。

他们走得很慢。猩猩男只能通过吸管进食，道具服又异常闷热，让他每隔一会儿就悲从中来，崩溃一下。走了才半英里，大家就停下来准备过夜了。

哈罗德点燃篝火，安慰自己当初也是花了好几天才找到节奏的。他们都是主动找到他、想帮助奎妮的，这时离开他们实在太粗鲁了。他甚至想，这样一来，也许奎妮活下去的机会就大一点：越多人一起走，信念就越大。

从此不断地有人加入进来。有些人只来一天，或两天。天气好的时候，他们会是浩浩荡荡一群人。有些人热衷于社会运动，有些只是随兴走走，有些人是全家出动，有些是辍学的学生，有些是来旅游的人，还有音乐家。他们支起旗帜，升起篝火，还会辩论、热身、听音乐。人越多，行进的速度就越慢，吃得比从前讲究了，但是花的时间也更多了——烤土豆、串烧蒜头、纸包甜菜根。里奇有一本专门介绍在大自然烹煮野生食物的书，他还用豕草做了煎饼。进度渐渐落下来，有时一天连三英里都走不到。

成员们兴奋地交流着被他们抛在身后的生活和以往犯过的错误。他们坚信自己不再是躯干、四肢和头组合起来的行尸走肉，而是组成了一个统一的力量，为奎妮·轩尼斯奔走努力。这个信念有很长一段时间只有哈罗德自己一个人相信，所以看着这些人的热情，哈罗德感动不已。他们搭帐篷，铺睡袋，在星空下休息。他们向自己承诺，一定会帮助奎妮活下去。

然而才过了几天，新的矛盾就产生了。凯特可没有时间应付里奇，她说，他就是个自大狂。他则称她为疯婆子。有一晚，猩猩男和一个临时加入的学生与同一个小学老师睡了，里奇努力压抑的怒气终于爆发了，他狠狠地挥起拳头。维尔夫总是不停地劝说同行的人皈依天主，这又引起更多不满。“他还算是个不错的小伙子，”凯特说，“但我总觉得他有那么一点阴森。”当一个业余徒步团加入他们一同过夜，争执就更多了：有人说搭帐篷不符合哈罗德这趟旅程的初衷，有人想完全离开马路取道更远一点的本宁线路。另一晚的焦点则完全集中在一场辩论赛上：吃被车撞死的小动物算不算不道德？哈罗德越听越觉得悲哀。其实他并不介意大家睡在哪里，走哪条路，也不介意吃得好不好。他只想到贝里克去。有时他真想独自上路，但他的性格无论如何不想让这些人失望。

贝里克好像越来越远了。仿佛只要一有他们的消息，附近家里有烤箱的人都开始烤东西给他们吃。凯特有一回差点被一个开路虎的女人撞了，当时她正弯着腰分发一盘切片羊奶芝士。里奇在篝火旁建议哈罗德每次吃饭前给大家说几句话，说说做朝圣者意味着什么。哈罗德婉拒后，里奇又主动提出代他发言，问有谁愿意把他的话记下来。猩猩男主动承担了这份工作，虽然戴着毛茸茸的手套写字实在不容易，他每隔一会儿就要打断一下里奇，好把发言记完整。

与此同时，媒体仍在不断报道哈罗德的善行。他并没有看报纸，但看来里奇有自己的资源，对事态的发展掌握非常及时：克里特罗一个有神论者声称他在朝圣者头上看到了一圈金色光晕；一个本打算从克利夫顿吊桥跳下去的年轻人讲述了哈罗德如何苦口婆心劝他打消自杀念头的感人故事。

“可我没经过布里斯托尔呀，”哈罗德说，“我去的是巴斯，然后就直接往斯特劳德去了。我记得很清楚，因为我在那里差点就放弃了。从没见过什么吊桥上的人，而且也很肯定没有劝过什么人。”

里奇认为这些只是细节问题，无关紧要。“或许他没跟你说他要自杀，但是见到你给了他希望。我想你只是忘了而已。”他又一次提醒哈罗德要看大局，没有曝光度才是坏事。哈罗德突然意识到四十多岁的里奇虽然与他儿子年纪相仿，但他说话的方式就像哈罗德才是他儿子一样。他说哈罗德现在正垄断着一个很有潜质的市场，一定要趁热打铁，又开始讲樱桃理论和统一口径唱赞美诗的问题，听得哈罗德头都开始痛了，脑子里浮现出一系列驴头不对马嘴的画面：樱桃树、赞美诗集、打铁工具。每出现一个画面，他都要停下来想一想里奇到底在说什么。真希望这年轻人能珍惜语言的真情实意，不要拿它们当弹药来使。

踏入六月上旬，新故事依然不断上演。和维尔夫关系疏远的父亲接受了媒体采访，一字一泪地诉说他孩子的勇气（“他几乎都没见过我的面。”维尔夫说）。贝里克郡地方议会正为他们量身定做公告和彩旗，欢迎他们的到来。里彭一个小杂货店的店主声称有几个朝圣者从他店里偷了好几样东西，包括一瓶威士忌。

里奇开了一个会议，毫不讳言地指责维尔夫偷了东西，认为应该赶他回家。第一次，哈罗德站起来表示反对，但站在这样一个与人对峙的位置，叫他难受不已。里奇把眼睛眯成一条缝，最后终于让步，同意再给维尔夫一次机会，但接下来一直避开哈罗德。不久又开了一场会议，里奇在会上声称队伍里一个厨子违反了“朝圣者公约”，买了橄榄油和鸡蛋做食材。那个临时加入的朝圣者含着泪承认了，但他认为用豕草做煎饼的人应该先自律再说别人。紧接着队伍里几乎一半人都因为食物中毒病倒了，因为维尔夫不小心把其貌不扬但毒性很强的菌菇当成普通蘑菇了；病的人还没好完全，又有人因为一堆红醋栗、樱桃、生鹅莓开始腹泻；猩猩男记录里奇的语录时没注意手套里有一只黄蜂，被狠狠叮了一口。有整整两天时间，他们一步没动。

前面是几座哈罗德很想攀过的蓝色山峰。太阳高高挂在东边，衬得另一头的月亮苍白如一团云雾。哈罗德痛苦地想着奎妮，希望这些人可以放他一马。

里奇宣布应该把真正的朝圣者和跟随者区分开来，他想到了一个办法。他一直跟一个公关界的朋友有联系，那人还欠他一个人情。朋友主动联系了一家运动饮料分销商，他们很乐意为所有真正的朝圣者提供T恤。T恤是白色的，前后都印着“朝圣者”三个字，有大、中、小三个码。

“白色？”凯特嘲弄地说，“我们找什么地方去洗白色的衣服？”

“白色才显眼，”里奇说，“而且代表纯洁。”

“看看，看看。真是一派胡言。”凯特说。

那家公司还会无限量提供水果味运动饮料，所需的不过是哈罗德经常拿着他们的产品亮个相。T恤一到位，就召开了一个新闻发布会，南德文郡小姐来到A617国道上和哈罗德拍照合影。

哈罗德说：“我想也应该让其他人一起拍照，他们和我一样，都许下了徒步的承诺。”

里奇说那会冲淡新世纪朝圣传递的信息，也会分散奎妮爱情故事的焦点。

“但我从来没想过强调那些东西呀，”哈罗德说，“况且我很爱我的妻子。”

里奇递给他一瓶水果饮料，叮嘱他将印着牌子的一面对准镜头。“我不是要你喝掉它，你只要拿着就好了。对了，我有没有告诉你，市长已经邀请你参加晚宴？”

“我真的并不觉得饿。”

“你要记得带上那条狗，他夫人和蓝十字动物保护组织有联系。”

如果朝圣者不取道他们的小镇，人们就好像被冒犯了。北德文郡一个度假胜地的市长在采访里评论哈罗德为“优越的中产阶级白人”，哈罗德震惊得简直有想道歉的冲动。他甚至考虑回程的时候是不是也该徒步回家，走一遍来时没有经过的地方。他向凯特坦白那些水果饮料让他的肚子不太舒服。

“里奇已经跟你说过了，”她说，“叫你别喝那些饮料。照片照完你就该丢到一边去。”

他伤感地笑了：“我没法拿着一瓶开了瓶盖的饮料而不喝掉。我是战后出生的，凯特。我们不随便吹嘘，也不轻易浪费任何东西。我们从小就是这样长大的。”

凯特张开双臂轻轻抱了哈罗德一下。

他也想回抱一下，但站在她的怀抱里却不知所措。或许这是他们那代人的另一个症候。他赶紧看看周围穿着T恤短裤的人，想自己有没有行为不当的嫌疑。

“怎么了？”凯特问。

哈罗德轻轻挣开：“我没法说服自己这是对的。这些喧闹，瞎忙活，我实在看不到怎么可能帮到奎妮。我们昨天才走了六英里，前天也才走了七英里。”

“我想你也许应该顾全一下大局。但我们一定会到的，别担心。”

即使凯特如此安慰，哈罗德还是非常烦恼。他们也有走得顺当的时候，但是随着有人病、有人受伤，再加上那么多公众关注支持，他们花了近两个星期才走了六十英里，连达林顿都还没到。他想象着莫琳在报纸上看见他的照片，不禁感到羞愧。不知道她会怎么想，会不会觉得他像个傻瓜。

趁支持者们围着篝火拿出吉他唱歌，哈罗德一个人溜开了。夜幕漆黑孤清，微弱地闪着星光，月亮又缺了。他回想起留宿在斯特劳德附近谷仓的那一晚，突然意识到没有一个人知道他走路去看奎妮的原因。他们都凭空猜测，以为是个爱情故事，或是奇迹，是善举，甚至是勇气，但他们没有一个人是对的。他了然于心的事实和这些人自以为了解的情况大相径庭。这个发现让哈罗德一惊。回望营地时，他感觉，即使站在人群当中，也没有一个人真正认识他，他依然是孤身一人。火焰在黑暗中传递光亮，欢声笑语飘进他耳中，却只属于一群陌生人。

他本可悄悄离开，反正所有需要的东西都在身上，鞋子、指南针，还有装着奎妮礼物的背包。他可以绕点路，穿过那些小山，避开所有人。但现在他已经深陷其中，无论去到哪里，人们都会找到他。他听到凯特在叫他的名字，那声音在夜晚的空气中异常单薄，还有小狗在她脚边汪汪的叫声。他转身回去了。

哈罗德刚回到篝火的光圈里，里奇就从阴影中走出来了。看到老人的身影，他好像突然有了什么主意，朝哈罗德走过来，一把抱住他，还拍了拍他的肩膀。或许他喝了酒，哈罗德肯定他闻到了酒味。他的鼻子嘴巴都被紧紧地压在里奇的T恤上。

“我永远做不到你这个水平。”年轻的朝圣者这样说道。或至少哈罗德听到的是这样一句话。吐字非常模糊。

“这并不是一场比赛。”哈罗德尝试挣开，但里奇不肯放手，于是哈罗德失去了平衡，几乎摔倒。

“可要站稳点。”里奇哈哈一笑。这是一个难得的承认钦佩的时刻，虽然有点儿笨手笨脚，但很奇怪地让哈罗德感到有点呼吸不畅。

第二天报纸上登了一张照片，旁边是一行标题：哈罗德·弗莱能成功吗？照片上的他一脸担忧，正差点摔进里奇的怀抱。

23

莫琳与哈罗德

莫琳再也忍不下去了。她跟雷克斯说即使戴维不同意，她还是要去找哈罗德。她刚在电话上跟哈罗德通过话，他预期他们会在第二天下午到达林顿。虽然明知现在补救过去已经太晚，她还是要作一次最后的尝试，说服他回家。

天一亮，她就拿起桌面上的车钥匙，把粉色唇膏装进手提包。锁门时她惊讶地听到了雷克斯叫她的名字。他戴着太阳帽和墨镜，还拿着一张大不列颠的硬皮地图。

“我想你应该用得上一个指方向的人，”他说，“按汽车协会的说明，我们下午晚些时候就能到了。”

一路飞驰，莫琳几乎没有留意窗外的景色。她嘴里说着话，心里却知道没有一句话是连贯的，一个个蹦出来的单词只是心底五味翻腾的冰山一角。如果哈罗德不想看见她怎么办？如果他和其他朝圣者在一起又怎么办？

“万一你是错的呢，雷克斯？”她说，“万一他真的爱着奎妮呢？或许我应该写信？你觉得呢？我想在信里或许可以说得更清楚点。”

没听到任何回应，莫琳转过头，发觉雷克斯一脸苍白：“你没事吧？”

他沉沉点一下头，好像不敢动似的。“你超了三辆卡车，一辆长途客车，”他说，“在一条单行线上。”他又说，他以为只要自己坐定，望向窗外，就会没事的。

很快他们就找到了哈罗德和那些朝圣者。有人在菜市广场安排他们和旅游局照相，莫琳走进一小群人里。有个高大的男人正在指挥大家站位，一旁有只猩猩，看来需要一把椅子，还有一个正在吃三明治的矮胖女人和一个滑头滑脑的年轻人。当她从人群中找到陌生人一般的哈罗德，莫琳瞬间放下了所有武装。她在当地报纸上看见过他的照片，也收集了剪报带在手提包里，但突然“真实地”看见哈罗德，就像戴维断定的那样，还是叫她猝不及防。他当然没有长高长胖，但看着这个满面风霜的男人，黑色牛皮一样的皮肤、卷曲的头发，她突然觉得自己像张白纸一样平平无奇，不堪一击。是他那种生命力使她颤抖，好像他终于成了早该成为的男人。他的“朝圣者”T恤污渍斑斑，领口那儿也垮了，帆船鞋褪了色，清楚地显出脚的形状。哈罗德突然碰上莫琳的目光，一下子怔住了。他对高个子男人说了句什么，就走了过来。

在走向莫琳的途中，他一直摇着头不可置信地笑着。他看起来这样明亮，莫琳下意识地看向一边，无法直面他圆满的笑容。她不知道该迎上自己的嘴唇还是脸颊，在最后一秒钟还犹豫了一下，最后哈罗德的胡须刮过她脸颊，亲到了她鼻子上。所有人都在看着。

“嗨，莫琳。”他的声音深沉而笃定。她觉得膝盖开始发软。“你怎么跑到达林顿这么远来了？”

“噢，”她耸耸肩，“雷克斯和我想开车走走。”

他四下张望，脸上发光：“老天，他也来了？”

“他去了史密斯书店买文件夹，然后打算逛逛铁路博物馆，去看火车头。”

他就站在她面前，看着她的脸，目光没有一丝躲闪。她感觉自己好像站在聚光灯下。“看蒸汽火车的火车头。”她又加了一句，因为哈罗德什么都没做，只是笑着。她无法不盯着他的嘴，虽然隔着厚厚的胡须，还是可以看见他下巴的线条已经不再僵硬，嘴唇柔软，透着深深的粉色。

一个老家伙用扩音器朝人群叫道：“快来买啦！这是上帝

的旨意！消费是生命的目的！”他没有穿鞋子。

沉默被打破，哈罗德和莫琳都笑了，她感觉两人好像分享了一个小小的秘密，全世界只有他们两个知道。“这些人哪。”她一脸了然地摇摇头。

“什么样的人都有。”哈罗德说。

他的话没有任何看不起人的味道，也没有任何责怪的意思，更多的是大度地接受，仿佛其他人的奇怪举动是一件很棒的事情，却让她感觉他们才是属于一个世界的人。她问：“有时间来一杯吗？”她从来没有这样一本正经地请他喝过伯爵茶。想要借以弥补往日里平淡的英范做派。

“我非常愿意，莫琳。”哈罗德回答。

他们选了一家百货一层的咖啡连锁店，因为莫琳说熟悉的总是更加可信。柜台后的女孩使劲盯着哈罗德，好像在努力回想在哪里见到过他，这让莫琳既骄傲又尴尬，好像自己很多余。

“有这么多可选的，”哈罗德看着那些松饼蛋糕，说，“你确定你不介意买单吗，莫琳？”

除了盯着他，她什么都不想做。已经好多年没从那双蓝眼睛里看见这么多活力了。他用拇指和食指压压那团卷曲的白胡子，胡须像小山一样堆起来。她纳闷柜台后面的女孩会不会意识到她是哈罗德的妻子。

“你要点什么？”莫琳问。本来想加一句“亲爱的”，但实在太羞于出口了。

他问能不能来一块火星棒蛋糕和一杯草莓冰乐。莫琳尖声笑了一下，好像终于把压抑已久的东西释放了出来。

“我来一杯茶就好，谢谢。”她对柜台后面的女孩说，“加牛奶，不要糖。”

哈罗德善意地冲女孩笑笑，她的名牌钉在黑色T恤左胸上方。让莫琳惊奇的是，女孩的脸一下子红到脖子根，甜甜地冲哈罗德笑了。

“你是新闻上那个人，”她说，“那个朝圣的人。我朋友都觉得你超级棒，可以请你在这里签个名吗？”她递过一支圆珠笔，伸出手臂。当哈罗德用这种不掉色的笔在女孩柔软的手腕上签下名字，莫琳又吃了一惊。“祝一切顺利，哈罗德。”他连手都没有抖一下。

女孩收回手，专注地盯着签名看了很久，然后准备好饮料和蛋糕，又在盘子上多放了一个司康饼。“这是我请你们的。”她说。

莫琳从未见过这种事情。她让哈罗德在前面带路，店里的顾客一下子都自动退开，给他让出一条道，纷纷盯着他，捂着嘴悄悄讨论。角落里有三位与她同龄的女士喝着茶，莫琳想她们的丈夫在哪里呢，在打高尔夫？去世了？抑或也离开了他们的妻子？

“下午好。”他轻快地向完全陌生的人群打招呼。

哈罗德选了一张靠窗的桌子，好关注留在门外的小狗。它正乖乖趴在人行道上啃石头，好像很会在等待中自得其乐的样子。莫琳突然对这条小狗生出了好感。

他们没有坐在一起，而是面对面坐下。虽然已经和这个人喝了四十七年茶，莫琳的手在倒茶时还是无法不微微颤抖。哈罗德用吸管大口大口地喝着草莓冰乐，一吸就发出“嘶”的声音，腮帮子也凹了下去。她礼貌地等了一会儿，好让哈罗德先吞下饮料，只是等得稍微久了一点，恰恰在哈罗德想说话的时候开了口。

“真高兴见——”

“见到你很——”

两人都笑了一下，好像不太熟似的。

“不不——”他说。

“你先——”她说。

就像又撞了一次车，两人都低了头继续喝茶。她想加点牛奶，但手又抖了起来，牛奶一下子洒出去许多。“经常会有人认出你吗，哈罗德？”听起来就像电视访问。

“我最感动的是大家都很支持这件事，莫琳。”

“你晚上在哪里过夜？”

“野外。”

她惊叹地摇摇头，哈罗德一定是误会了，急急地问：“我身上没有味道吧，有吗？”

“没有，没有。”她也急急地回答。

“我在河里或者饮用喷泉里洗澡，只是没有香皂。”他已经吃完了蛋糕，正在切司康饼。他吃东西快得像一口就吸进去一样。

她说：“我可以帮你买点香皂，刚才应该经过了一家美体小铺的连锁店。”

“谢谢你，太周到了。但我不想带太多东西上路。”

莫琳又为自己的不理解感到一丝羞耻。她很想给他点颜色看看，但如今坐在这里，她只是一片不入时的灰色。“哦。”她低下头。那种痛又来了，收紧了她的喉咙，让她无法说话。

哈罗德递过一块手帕，莫琳用这块皱巴巴的还带着体温的手帕擦了擦脸。上面有哈罗德的味道，很久以前的味道。一点帮助也没有，眼泪瞬间涌了上来。

“是因为又看到你了，”她说，“你看起来真好。”

“你也是呀，莫琳。”

“我不好，哈罗德。我就是一副被人遗弃了的样子。”

她又擦擦脸，但眼泪还是不停从指间滑落。她肯定柜台后面那女孩一定盯着他们，还有店里的顾客，和刚才那几个没有丈夫陪伴的女士。看吧，让他们看个够。

“我很想你，哈罗德。我真希望你能回来。”她紧张地等着，血液在血管里冲击奔腾。

哈罗德终于揉了揉头，仿佛要把头痛或是别的什么东西赶走。“你想我？”

“是。”

“你想我回家？”

她点点头。再说就太多了。哈罗德又抓了抓头，抬起眼看她。她觉得内脏都不受控制了，在体内翻滚。

他慢慢地说：“我也想你。但是莫琳，我一辈子什么都没做，现在终于尝试了一件事，我一定要走完这趟旅程。奎妮还在等，她对我有信心，你明白吗？”

“噢，是，”她说，“我明白，当然明白。”她抿了一口茶。茶已经凉了，“我只是——对不起，哈罗德——我不知道我该把自己摆在哪里。我知道现在你已经是个朝圣者，但我没法不想想我自己。我没有你那么无私，对不起。”

“我并没比谁好，真的。谁都可以做我做的事。但人一定要放手。刚开始我也不懂这一点，但现在我知道了。要放开你以为自己离不开的东西，像钱啊、银行卡啊、手机啊、地图之类。”他看着她，眼神明亮，笑容笃定。

她又拿起茶杯，碰到嘴边才想起茶已经凉了。她想问朝圣者是不是都会丢下妻子，但终于忍住了，挤出一个看起来有点伤感的笑，转头看向窗外还在乖乖等待的小狗。

“它在啃石头。”

哈罗德笑了：“它就爱这样。你千万别跟它扔石头玩，只要有了第一次，它就以为你很喜欢这样，一天到晚跟着你。它记性可好了。”她又笑了。这次，不是让人心疼的那种笑容。

“给它取名了吗？”

“就是小狗。好像叫什么都不对，它是自由自在的，一取名就好像成了宠物了。”

她点点头，不知道说什么好。

“其实，”哈罗德突然说，“你也可以和我们一起走。”

他向她伸出手，她没有避开。他的手心很脏，结满了茧，她的手却苍白纤细，莫琳实在想不通它们怎么可能交缠在一起。她就这样让她的丈夫握着她的手，身体其他部分只剩一片麻木。

她眼前闪过一幅幅过去的画面，像看照片一样。婚后第一晚，他蹑手蹑脚地从浴室溜出来，裸露的胸膛是那么美，她忍不住大声喘了口气，他害羞地直钻到他那件夹克衫里。医院里他盯着他们刚出生的宝贝儿子，张开了双手。还有皮质相簿里其他已经被她遗忘的画面，都在眼前一闪而过，只有她自己能看到。她叹了口气。

都走远了。现在他们之间隔了那么多东西。她看到了二十年前的哈罗德和她，戴着墨镜紧贴着坐在一起，却无法触摸。

他的声音打断了她的思绪：“怎么样，你会一起来吗，莫琳？”

她轻轻挣开哈罗德的手，将椅子向后挪一下。“太迟了，”她呢喃，“我不这么认为。”

她站起来，哈罗德却没有，莫琳感觉自己好像已经走出了门外：“家里还有花园呢，还有雷克斯。再说我什么也没带。”

“你并不需要——”

“我需要。”她打断他的话。

哈罗德咬着胡子，点了点头，但没有抬眼，好像在说，我知道。

“我该回去了。还有，雷克斯向你问好。我给你带了几块膏药，还有一瓶你最喜欢的那种水果饮料。”她把那些东西放到桌面正中，就在两人中间，“但朝圣者是不是不能用膏药？”

哈罗德弯身将她的礼物塞进裤袋。他的裤子空荡荡地挂在腰上：“谢谢了，莫琳。我会用得着的。”

“叫你放弃是我自私了。原谅我，哈罗德。”

他的头埋得那么低，她几乎以为他是不是就这样坐着睡着了。顺着他的脖子可以看到一小片柔软白皙的背部皮肤，还没有被阳光碰到过。她浑身像被电到一般，仿佛是第一次看见他的裸体。当他抬起头碰到她的目光，她脸红了。

他声音那么轻，那句话好像空气一样飘出来：“我才是需要被原谅的人。”

雷克斯在副驾驶座上等待，手里拿着一杯咖啡和一只餐巾纸包着的甜甜圈。她坐到他旁边，吸一口气，忍住不哭。他递上手中食物，但她一点胃口都没有。

“我甚至说了我不这么认为，”她轻轻抽泣，“我简直不能相信我居然说了这句话。”

“都哭出来吧。”

“谢谢你，雷克斯。但我哭够了，不想再哭了。”

她擦干眼泪望向街上，形形色色的人各自忙碌着。全是男人和女人，年老的、年轻的；越走越远的、相伴而行的。这个挤满了一对对男女的世界看起来又忙碌，又自信。她说：“很多年前，哈罗德刚刚认识我的时候，他叫我莫琳。然后变成了阿琳，这样叫了好多年。现在又是莫琳了。”她的手指摸索着嘴唇，想叫嘴唇停下来。

“你想留下吗？”雷克斯说，“再跟他谈一次？”

她把车钥匙插进锁孔：“不用了，走吧。”

倒车的时候她看到了哈罗德。这个做了她丈夫那么多年的陌生人，和一只围着他又蹦又跳的小狗，还有一群她不认识的跟随者——但她没有挥手，也没有按喇叭。没有麻烦，没有客套，甚至没有一句再见，她离开了哈罗德，让他继续走他的路。

两天之后，莫琳醒来，看见充满希望的晴空，和拂过树叶的微风。这种天气最适合洗东西了。她搬来梯子取下窗帘。光线、色彩充满了屋子，好像终于挣脱了窗帘的桎梏。窗帘当天就晾干了。

莫琳将窗帘塞进塑料袋，捐掉了。

24

哈罗德与里奇

离开莫琳后，哈罗德觉得好像有什么东西不一样了，就像关上了一扇其实他自己也不确定想不想打开的门。想象到达时一众病人护士欢迎的场面也变得索然无味，他再也不确定旅程的重点是什么。一路走下来，进度越来越慢，问题与争执层出不穷，从达林顿到纽卡斯尔居然走了差不多一个星期。他把柳木手杖给了维尔夫，再也没拿回来。

莫琳说她想他，叫他回家。他无法将这一点赶出脑海，时不时就找个借口借别人的手机打回家。

“我很好，”莫琳每次都这样说，“我非常好。”她会告诉他又收到了一封措辞感人的信，或者一份小礼物；有时会跟他讲讲花园里红花菜豆的长势。“你肯定不想听我这些无关紧要的小事。”她还会加一句。但其实他是想听的，非常想听。

“又在打电话？”里奇会皮笑肉不笑地问。

他又一次指责维尔夫偷东西，哈罗德暗暗担心他恐怕是对的。明明知道他和戴维一样不靠谱，却还要为他辩护，真是一件苦差事。维尔夫甚至没想过要把空瓶子藏起来。每次都要花好长一段时间才能把他叫醒，刚一清醒过来又忙不迭地开始抱怨。为了保护他，哈罗德告诉大家他右腿的旧患复发了，提议休息久一点，甚至建议一部分人可以先走。但他们都异口同声地说不行不行，哈罗德才是朝圣的关键。没有他，他们不可能完成。

哈罗德第一次在见到城市的时候松了一口气。维尔夫好像又活过来了，而看着形形色色的人群，五花八门的橱窗，想着自己用不上的东西，哈罗德也能得以分心，暂时不去面对这旅程到底出了什么问题。他实在想不通这个自己都控制不了的局面是怎么酿成的。

“有个家伙出天价要买我的故事，”维尔夫突然不知道从哪里冒了出来。他又开始神经兮兮，浑身一股酒味，“我可是拒绝了他，弗莱先生。我是跟定你了。”

朝圣者们搭起帐篷，但哈罗德不再和他们一起做饭或计划下一天的路线。里奇开始捉野鸡野兔剥了皮烤着吃，哈罗德看着可怜的小动物被开膛破肚，没法不心惊肉跳。这些日子，里奇的眼光透着一种近乎疯狂的饥饿贪婪，总让哈罗德想起纳比尔和他父亲，这让他十分不安。里奇身上的朝圣者T恤沾满了血污，脖子上还挂了一串小动物的牙齿。哈罗德看着就吃不下饭。

心里越来越空，疲惫的哈罗德独自在夜空下闲逛，脚边蟋蟀吱吱对唱，头上星空闪亮，只有在这时候，哈罗德才能感觉到自由，才不觉得孤单。他想想莫琳和奎妮，想想过去，几个小时倏忽就过去了，却又像几天那么长。每次回到营地，有些人已经睡下，有些人还在篝火旁和唱，他心里会升起一种冷冷的恐惧。他跟着这群人在做什么？

里奇这时私底下召开了一个会议。他心中非常忧虑，里奇说，讲出来不是一件易事，但总要有人开口：奎妮可能撑不久了。有鉴于此，他建议组建一个先行队伍，由自己带队，走另外一条穿越山野的路线。“我知道这对每个人来说都不容易，我们都爱哈罗德，他对我来说就像父亲一样。但老人家越来越不济了，先是腿脚出了问题，然后是一个人跑出去游荡半晚，现在又开始禁食……”

“不是什么禁食，”凯特反对道，“别说得那么玄，他只是不饿而已。”

“是什么都好，反正他已经撑不下去了。做人必须直言不讳实事求是。我们要想想怎么帮他。”

凯特吸出牙缝里一条菜渣，“当真是废话一箩筐。”她说。

维尔夫突然歇斯底里一阵狂笑，话题就这样结束了。但里奇整晚都异常安静，坐在一边，和其他人保持一点距离，用他的小刀削着一根小木棍，又磨又切，直到小木棍变成一个尖尖的锥子。

第二天早上，哈罗德是被一阵扰攘惊醒的。里奇的小刀不见了。在地里、河边、灌木丛中细细找过一遍之后，结论是维尔夫把小刀拿走了。哈罗德这时发现带给奎妮·轩尼斯的纸镇也没有了。

猩猩男汇报朝圣者维尔夫在“Facebook”上开了一个账号，已经有超过一千个粉丝了。上面写的都是朝圣之路上的一些个人轶事，他怎样救了人，还有几个愿望。他向粉丝承诺接下来出版的周报上会有更多故事。

“跟你说了他是个坏坯子。”里奇隔着篝火说道。他的眼光穿过黑暗刺向哈罗德。

哈罗德非常担心失踪的男孩。他离开营地寻找男孩的踪迹，在城中酒吧和混混当中寻找维尔夫憔悴孱弱的脸，小心地留意哪里有那招牌性的歇斯底里的笑声。他老是觉得自己对不起那男孩，这就是哈罗德。他晚上又开始睡不好，有时一整晚都无法入睡。

“你看起来好像很累。”凯特说。他们坐在运河的砖道下，离营地有一段距离。河水又静又深，像液态的绿色天鹅绒。水边有薄荷和水芹，但哈罗德知道自己没有这个心情去采摘。

“我觉得自己离起点越来越远，但也离终点越来越远。”哈罗德伸了个大大的懒腰，全身好像抖了一下，“你认为维尔夫为什么要走？”

“他受够了。我并不觉得他坏还是什么，他就是年轻而已，还没定性。”

哈罗德终于感觉又有人毫无掩饰地跟他交流，就像旅程刚开始时一样。那时谁都没有任何期望，包括他自己。他坦陈维尔夫让他想起儿子，所以最近他“辜负了儿子”这件事比“让奎妮失望”更让他心烦。“我儿子还很小，我们就知道他是个聪明的孩子。他把自己关在房间里，所有的时间都用来做功课，如果不考第一就会哭鼻子。但是这聪明后来好像适得其反，他太聪明，太孤单了。考上剑桥之后，他开始喝酒。我上学时什么都做不好，他那种聪明简直让我敬畏。我最擅长的事就是把一切弄砸。”

凯特笑了出来，松弛的皮肤一层层摺在脖子上。虽然她举止有些唐突，但哈罗德已能在这个身材壮硕的女人身上找到安慰。她说：“我一直没跟任何人提过这件事。我的结婚戒指前几天丢了。”

哈罗德叹了一口气。他知道大家都不看好他对维尔夫的信任，但心底某个地方，他还是相信每个人都保留着一点天然的良善，相信自己这一次可以把男孩的善发掘出来。

“那戒指没什么要紧的。我刚刚才离了婚，自己也不知道为什么还留着它。”她把弄着空空如也的手指，“所以维尔夫或许还帮了我一个忙呢。”

“我之前是不是应该再做点什么，凯特？”

凯特笑了。“你救不了所有人。”停一停，又问，“你还和儿子见面吗？”

这问题像炸弹一样炸开。哈罗德低下头：“没有。”

“我想你很挂念他吧？”她问。

在玛蒂娜之后就没有人问过戴维的事了。哈罗德心跳加快，嘴里发干。他想解释看到自己的儿子倒在一堆呕吐物中，把他扶回床上帮他擦干净，第二天又装作什么都没有发生时是什么感觉。他想说那和小时候看见那个自己称之为父亲的人喝得酩酊烂醉是一个感觉。他想问，到底怎么了？是因为他吗？问题出在他身上吗？但他什么都没说。他不想把这些负担都放到她身上。所以他只是点点头，说是的，他很想念戴维。

抓着膝盖，他想起自己十几岁时躺在房里，听着母亲不在的寂静。他想起自己听到奎妮离开了的时候，一下子跌坐在椅子上，因为她连再见都没有说。他看见莫琳苍白的脸上透着厌恶，砰一声关上客房的门。他又看见自己最后一次探访父亲时的情景。

“真的非常遗憾，”护理员拉着哈罗德的袖子，几乎把他拉出门外，“但他心情很不稳定，或许您今天应该先回家。”

离开的时候一步一回头，最后的印象里，一个瘦小的男人将所有勺子丢到地上，拼命地喊他没有儿子，没有儿子。

他怎么把这一切说出来？这些话在心里累积了一辈子。他可以试着寻找词汇，但它们听在她耳中的重量永远不可能和它们在他心中的重量对称。他可以说“我的房子”，而她脑海里出现的景象只可能是她的房子。这些都是无法言表的。

凯特和哈罗德又在沉默中坐了一会儿。他听着晚风穿过杨柳的声音，看柳条摇曳，夹竹桃和月见草在黑暗中闪着微光。营火那边传来一阵欢笑声，是里奇组织了一场捉人游戏。“天晚了，”凯特终于说，“你该休息一下了。”

他们回到营地，却全无睡意。哈罗德脑子里全是母亲，努力地搜寻有她的画面，想寻找一丝安慰。他想起儿时冷冰冰的家，校服上沾染的威士忌味道，还有十六岁生日时收到的那件大衣。他第一次放任自己尽情感受那种父母亲都不想要自己的痛。天空被渺小得几乎不可见的星星点亮，他在这星空下走了很久很久。眼前掠过一幕幕画面，琼舔着指尖翻一本旅游杂志，琼看见父亲颤抖的手伸向酒瓶时翻了一个大白眼，但没有一幕是她亲吻哈罗德的头，或是告诉他一切都会好起来的。

她后来有没有纳闷过他在哪里？他还好吗？

他看见镜子里的她往嘴唇上涂红色唇膏的样子。她的动作是那样小心，仿佛在努力捕捉这片色彩背后的东西。

他想起有一次和母亲目光相遇的情景，忽然不能自已。当时她停下手上的动作，所以她的嘴唇一半是琼，一半是母亲。小小的哈罗德几乎心都跳出来了，突然找到了颤着声音开口的勇气：“请你告诉我好吗？我是不是很丑很丑？”

她突然狂笑起来。嘴边的酒窝很深很深，哈罗德几乎可以想象他小小的手指插进去的感觉。

那不是一个好笑的问题。那是藏在他心底的疑问。但既然母子间从来没有亲昵的接触，看见她笑也就变成了他可以盼望的最好事情。他真希望自己没有将她唯一的一封信撕得粉碎。“亲爱的儿子”，就这一句也是有意义的。将戴维揽入怀里告诉他一切都会好起来也是有意义的。他为那些没有做的事痛悔不已。

黎明前哈罗德爬回自己的睡袋，突然发现拉链下有一小包东西，里面有一块面包、一个苹果、一支瓶装水。他擦擦眼睛，吃掉食物，但还是一夜无眠。

当纽卡斯尔的版图占据了大部分视野，队伍里又出现了新的争执。凯特主张压根不要经过城市。但有人得了拇囊炎，得看医生，至少得去买点药。里奇对现代朝圣的本质有说不完的观点，猩猩男已经写完一个本子，需要换本新的。让大家迷惑而惊恐的是，哈罗德此时提出绕路去一趟赫克萨姆。他从夹克里翻出一张名片，那是他出发第一晚住的旅馆里那个生意人的，名片已经皱皱巴巴，边缘也卷了起来。虽然头几天的遭遇几乎让他打了退堂鼓，他还是很想念那时遇到的人。他们都有一种朴实的简单，哈罗德眼看就快要失去，或者已经失去这种简单了。

“我当然不会强迫你们和我一起走，”哈罗德说，“但我有我的承诺要遵守。”

里奇又召集了一个秘密会议。“我简直不敢相信我是唯一一个有勇气把话说出来的人。但你们都没有看见问题的严重性。哈罗德正在崩溃。我们绝对不能去赫克萨姆。那意味着白白多走二十英里。”

“他答应了人家，”凯特说，“就像他觉得他对我们也有一定的责任一样。他太看重承诺了，不会轻易食言。这是我们英国人的特点，而且是个优点。”

里奇火冒三丈。“你可别忘记奎妮快死了。我说我们该组一个先行部队直奔贝里克。他自己以前也这样说过。我们一周之内就能走到。”

谁也没说什么，但第二天早上，凯特发现变化在一夜之间悄悄发生了。帐篷里、篝火灰烬边的窃窃私语印证了里奇的话，虽然他们都很爱哈罗德，但现在是时候离开他了。大家四下寻找老人，但哪里都不见他，于是纷纷收拾好帐篷睡袋离开了。除了渐渐熄灭的篝火，整片营地空落落的，几乎让她怀疑一切到底是不是真的发生过。

她在河边找到了哈罗德，他正在和小狗丢石头玩。他含着胸，好像背上有什么重量压着。凯特震惊地意识到他看起来竟忽然老了那么多。她告诉哈罗德里奇已经说服猩猩男和他一起往前走，还带走了剩下的记者和支持者。“他开了个会，说什么你需要停一停，还挤了几滴眼泪。我什么都做不了。但那些人不会上当太久的。”

“我并不介意。说实话，这事已经变得有点太大了。”燕子从水面掠过，翅膀一挥又变了个方向。他又看了一会儿。

“你现在打算怎么办，哈罗德？回家吗？”

他摇摇头，动作很沉重：“我会去一趟赫克萨姆，然后从那里去贝里克。不会太远了，你呢？”

“我会回家。我前夫一直在联系我，他想我们再试一次。”

晨光中，哈罗德的眼睛湿润了。“那很好。”他抓住凯特的手，用力握了一下。她突然很好奇他是不是想到了自己的妻子。

两只相握的手很自然地张开，抱住了对方。凯特不知道是她抱住了哈罗德还是哈罗德抱住了她。哈罗德套在朝圣者T恤里的身体很瘦很瘦。他们就这样维持着似抱非抱的姿势，有点不太平稳，直至她放开手，飞快地擦一下脸颊。

“请一定要保重，”她说，“我知道你是个好人，大家也愿意听你的话，但你看起来真的很累。你要照顾好自己啊，哈罗德。”

他一直等到凯特离开。她回头挥了几次手，他都站在那里，看着她走远。他和其他人一起走得太久，听了太多他们的故事，跟得太多他们的路线了。如今得以再次只听自己一人的话，他松了口气。但看着凯特的身影一点点变小，他还是感到一种失去她的悲伤，好像有一小块什么东西远逝了。她已经快走到一片树林旁，哈罗德已经准备离开，却突然看到她停下来，好像迷失了方向，又像遗忘了什么东西一样。她开始疾步往回走，几乎小跑起来，哈罗德内心一阵激动，因为在所有人中间，甚至包括维尔夫在内，他真正了解和喜欢的却是凯特。但没过多久她又停了下来，好像还摇了摇头。哈罗德知道为了她，他一定要站在这里看着，远远地支持她，直到她完完全全把他留在身后。

他用力挥了挥双手。她终于转身，走进了那片树林。

他又站了很久，以防她再次回头，但空气似乎停滞了，没有将她带回来。

哈罗德把身上的朝圣者T恤脱掉，打开背包穿回自己的衬衫领带。衣服已经一团糟，皱得不能再皱，但一穿上它们，哈罗德又感觉做回自己了。他想了想要不要将朝圣者T恤作为纪念品带去给奎妮，但给她一件曾经引起这么多争端的纪念品好像感觉不太对，所以他趁没人注意的时候把T恤丢进了垃圾桶。他发现自己比意识到的还要累，又花了三天才走到赫克萨姆。

他找到名片上的地址，按下门铃，等了整个下午，都没有见到生意人的踪迹。一个自称是他邻居的女人出了门来，说他去伊比沙岛度假了。“他总是周末去度假。”她这样说，又问哈罗德要不要喝杯茶，或者给小狗喝点水，哈罗德婉拒了她的好意。

队伍分开一周后，报纸上刊登了朝圣者到达贝里克郡的消息。还有其他照片：里奇·里昂牵着两个儿子的手在码头边走；一个穿着猩猩服的男人亲吻南德文郡小姐的脸颊；专门有铜管乐队和啦啦队表演欢迎他们的到来；还举行了一个欢迎晚宴，当地议员和商界人士都有参加。几家周报同时声称自己有里奇日记的独家来源，还传出消息要拍一部电影。

电视新闻也报道了朝圣者到达的消息。在BBC的聚光灯下，莫琳和雷克斯看到里奇·里昂和其他几个人送了花到疗养院，还带着一篮巨大的松饼，虽然奎妮无法接待他们。记者说很遗憾，疗养院没人愿意予以置评。她拿着话筒站在疗养院的车道上，身后是整齐干净的草坪，种着蓝色的绣球花，还有一个穿着工服的男人在修剪枝叶。

“那些人根本连奎妮都不认识，”莫琳说，“真让人倒胃口。他们为什么不能等一等哈罗德？”

雷克斯啜了一口阿华田：“我想他们可能不耐烦了。”

“但这又不是比赛，过程才是关键呀。况且那男人又不是为了奎妮才走的，他是为了证明自己是个英雄，把自己的孩子争回来。”

“我想某种程度上讲，他的故事也是一个过程，”雷克斯说，“只是过程有所不同而已。”为了不弄脏桌面，他小心地将杯子放到杯垫上。

记者简单提了一下哈罗德·弗莱，还插播了一张哈罗德的照片，他在镜头面前缩得很小很小，看起来就像一个影子，又脏、又憔悴、又害怕。里奇·里昂在码头边接受了独家采访，说那位年老的德文郡朝圣者筋疲力尽，还有复杂的情绪问题，在纽卡斯尔以南就不得不放弃了。“但奎妮还活着，这才是最重要的。我是幸运的，得到了那么多同伴的支持和帮助。”

莫琳嗤之以鼻：“看在上帝的分上，这人连话都不会讲。”

里奇将手伸到头上做出一个胜利的姿势：“我知道哈罗德会很感激你们的支持！”挤在旁边的热心人纷纷喝彩。

节目以码头珊瑚色石墙的画面结尾，几个市政工作人员正在撕掉墙上贴的欢迎标语。一个人从句头开始清理，另一个人从句尾开始，一个个字撕下来丢进货车后车厢，墙上只剩下“克郡欢迎哈”几个字。莫琳啪一声关掉电视，走进房间。

“他们都过河拆桥，”她说，“他们都后悔相信他，把他说得像个傻瓜一样。真是不可思议。他从一开始就没有要求过他们的注意呀。”

雷克斯抿着嘴陷入了思索：“至少那些人现在放过了哈罗德。至少他现在可以专心一个人走。”

莫琳把目光投向天空深处，一句话也说不出来。

25

哈罗德与狗

能独自上路对哈罗德来说真是松了一口气。他可以和小狗按自己喜欢的节奏走，没有辩论，也没有争吵。从纽卡斯尔到赫克萨姆，累了就停一停，休息好了就上路。他又开始可以在傍晚上路，有时兴致到了，晚上也不用停下，心中又有了新希望。这是最让哈罗德开心的，看着家家户户的窗口点亮昏黄的灯光，里面的人忙忙碌碌，并不知道有陌生人凝视，动作却依然轻柔。他又可以对脑海中回放的思绪和记忆敞开心扉了。莫琳、奎妮、戴维，他们都是他的旅伴。他感觉自己又完整了。

他想起刚结婚那几年莫琳紧贴着他的身体，以及她双腿间美好的隐蔽。想起戴维那样专注地盯着窗外，好像外面的世界把他的什么东西掠夺走了。想起在奎妮身边开车，她一边嚼着薄荷糖，一边反过来唱又一首新歌。

哈罗德和小狗离贝里克郡已经这么近，只能不停地走。经过其他朝圣者一役，他很小心地避开公众的注意力。与陌生人交谈，或倾听时，他生怕会不小心激发他们加入的愿望，而他实在没有这种力气了。如果遇上非经过不可的大城镇，他和小狗会在旁边的林子里睡上一觉，到凌晨或一早再上路。他吃的是从灌木丛或垃圾箱里找到的随便什么东西，只从野生的地上或树上找食物，见到泉水就停下来喝一口，从不麻烦任何人。还是有一两个人提出给他照张相，他答应了，但几乎没有直视镜头。偶尔会有过路人把他认出来，主动提供食物，还有一个可能是记者的人问他是不是哈罗德·弗莱。但因为他一直小心翼翼保持低调，尽量走一些不起眼或是野外的地方，大部分人都会让他走自己的路。他甚至连自己的倒影都想回避。

“希望你现在感觉好点了，”一位遛灰狗的优雅女士说，“没跟你一起走真是遗憾，我和丈夫都哭了。”哈罗德并没有听懂，但谢过她就继续上路了。前面地势起伏，形成黑黝黝的山的轮廓。

强劲的西风夹着雨水打来，冷得人睡不着。他僵硬地躺在睡袋里，看着遍布夜空的鳞状雨云掠过月亮，努力保持温暖。小狗也在睡袋里靠着他睡，它的胸腔很大，让他想起戴维在班特姆被卷走的那天，在海上巡逻员古铜色的臂弯里，他看起来特别脆弱。他又想起戴维用剃刀在头上划下的伤痕，还有他怎样在戴维又一次晕倒前将他拖上楼。戴维拿自己身体冒过所有的险，仿佛都是为了反抗父亲的平凡。

哈罗德开始发抖。刚开始是牙齿轻轻发出格格的响声，渐渐蔓延到手指、脚趾，最后手臂、双腿都开始颤抖，剧烈地发疼。他向外望去，希望能找到一点分心的事物，却没有像从前一样找到任何安慰。月光清冷，风雨呼啸，他的寒冷根本无人在意。这地方不仅仅是残酷，比残酷更糟。哈罗德孑然一人，没有莫琳、没有奎妮、没有戴维，他在一个被忽略的位置缩在睡袋里瑟瑟发抖。他试着咬紧牙关，握紧拳头，却感觉更冷。远处似乎有一群狐狸在围捕猎物，无法无天的尖叫声划破夜空。湿透了的衣服紧贴着皮肤，将他身上的热气吸走。哈罗德冷得心脏都麻木了，现在唯一能使他停止颤抖的事情就是连内脏都结上冰。他连抵抗的念头都找不到了。

哈罗德原本以为重新站起来会好点，但他错了。在挣扎着寻找温暖的过程中，他忽然意识到有些东西是无可避免的。有他没他，月色都不会改变，冷风也不会停息。脚下这片土地依然会延伸开去，直至海边。生命依然会结束。他走也好，颤抖也好，在家也好，根本不会造成任何改变。

这种一出现就被他努力压制的想法，在短短几个小时内壮大成有力的控诉。越想着自己有多无关紧要，他就越不由自主地相信这一点。他是奎妮的谁，需要他来看她？里奇·里昂抢了他的位置又怎样？每次他停下喘气或揉捏小腿好让血液不要冻结在血管里，小狗都乖乖坐到他脚边，一脸关注地看着他，不在周围乱跑，也不再衔来石头让哈罗德丢给它玩。

哈罗德开始回想从起程到现在，他见过的人，去过的地方，睡在野外时看过的夜空。它们成了他脑海里的纪念品，每次都是这些东西在最艰难的时刻支撑他走下去。但现在想着那些人、那些地、那些天空，他无法再在当中看到自己。走过的路挤满各式各样的汽车，见过的人还会经历更多萍水相逢，他的脚印无论多坚定，还是会被雨打风吹去。就像他从来没去过那些地方，见过那些人。一回头，就已经再找不到他走过的痕迹。

树木终于放开了手，任枝叶像柔软的触角一样在风雨中被推来搡去。他是一个糟糕的丈夫，也没有做好父亲和朋友的角色。他连儿子的角色都做不好。不仅是他辜负了奎妮，他的父母不想要他，也不仅是他把和妻儿的关系弄得一团糟。而是，他这样就走过了一生，没有留下任何印记。他什么都不是。哈罗德穿过A696国道往康博方向走去，忽然发现小狗不见了。

他有点惊慌，不知道是不是小狗受了伤而他没有注意到。他一路找回去，搜索马路边，水沟里，却找不到任何踪迹。他试着回想自己最后一次看见它是什么时候，离一起坐在长凳上吃三明治至少已经过了好几个小时。抑或已经是昨天的事？他简直不敢相信自己连这件简单的事情都弄砸了。哈罗德拦下一辆辆汽车，问司机在来路上有没有见过一只小狗，小小的毛茸茸的，大概有这么高，但他们都加速而去，仿佛他是个危险分子。有个小朋友看见他便吓得缩到另一边，开始抽泣。哈罗德只能一路往赫克萨姆找回去。

他在一个巴士站找到了小狗，它趴在一个年轻女孩脚边。她穿着校服，有一头深色的长发，几乎和它秋天一般的皮毛一个颜色，面目和善。她弯腰拍拍小狗的头，捡起鞋子边一块什么东西，塞到袋子里。

“别给它丢石头。”哈罗德几乎喊出来，又止住了。女孩等的巴士来了，小狗跟着她上了车，好像知道她要去哪里一样。他看着车载着女孩和小狗缓缓离开。他们没有回头，也没有挥手。

哈罗德对自己说那是小狗自己的选择，它选择了陪哈罗德走一段路，现在它决定停下来，陪那个女孩儿走一段了。生活就是这样。但失去最后一个同伴，哈罗德感觉到又一层皮肤被生生撕掉的疼痛。他不知道接下来还会发生什么事情，心中一阵恐惧。他知道自己已经无法承受更多。

一个小时又一个小时过去了，一天又一天过去了，哈罗德感觉不到它们有任何不同，开始频频犯错：他在晨光初现那一刻就上路，拼命朝着太阳前进，却忘了留意那是不是贝里克的方向；他和指南针起了争执，指南针明明指着南边，哈罗德却认为是它坏了，甚至更甚，是它故意在撒谎；有时他走完十英里才发现自己不过是在绕圈子，又差不多回到了起点；有时朝一声叫喊、一个身影走过去，最后却发现什么都没有；有一次他依稀看见有个女人在一座小山上呼救，爬了一个小时才发现那不过是一段枯死的树干。他发现自己步履乱了，经常差点被绊倒；眼镜架也再次断了，终于被他丢在身后。

丢失的东西越来越多。他想不起戴维的脸了。他能忆起他漆黑的双眼，和那双眼盯着他的方式，但每次努力回想他的刘海时，看到的总是奎妮密集的发卷，就好像要用一盒不完整的碎片完成一幅拼图。他的脑子怎么可以这么残忍？没有了休息和希望，哈罗德失去了一切时间概念，也不再确定自己到底是吃了还是没吃。不是说他真的想不起来，而是他不在乎了，什么景象、什么变化都唤不起他的兴趣。经过一棵树和经过别的东西是一样的。有时他整个脑子里只有一句话，为什么还要走，反正都无关紧要了。一只孤零零的乌鸦从头顶掠过，黑色的翅膀像绳索一样打在空气中，带来非人的恐惧，逼得他惊慌失措地寻找庇护。

这片土地如此广阔。他是如此渺小。每次回头想看看走了多远，他都发现好像没有一点改变。脚抬起来，又原地落下。他望着远处的山脉，起伏的原野，巨大的岩石，散布在它们之间的灰色小屋小得可怜，一点都不牢靠，哈罗德简直奇怪它们能屹立不倒。我们都一样岌岌可危，他彻底绝望地意识到这一点。

日晒雨淋，夜以继日，哈罗德不停地走，再也不清楚到底走了多远。他在繁星满天的夜空下歇息，看见双手都变成了紫色，他知道自己应该举起双手放到嘴边呵一下关节，但这一连串动作太多了，他实在不想动。已经记不起是哪块肌肉支配着那只手，记不起怎样才能让自己好受一点。就这样坐着好了，尽情坠落到这片夜空和周遭的虚无当中去。就这样放弃比走下去容易多了。

一天深夜，哈罗德在电话亭里给莫琳打电话。他像往常一样拨完号，在听到莫琳声音那一刻忍不住说：“我坚持不下去了。我走不到了。”

她没有出声。他不知道她是在考虑还要不要想念他，还是已经睡着了。

“我坚持不下去了，莫琳。”

她吞了一下口水：“哈罗德，你在哪儿？”

他朝外面看看。有车子一闪而过，有光，有行色匆匆赶着回家的人。一个广告牌上印着电视节目广告，节目秋天就开播，还印着一张巨大的女警的笑脸。前方是隔开他自己和目的地的无边黑暗。“我不知道自己在哪里。”

“你知道自己是从哪儿走到那里去的吗？”

“不知道。”

“村名也不知道？”

“不知道。我想我好一阵子之前就什么都没看到了。”

“我明白了。”她这样回答，好像看见了什么东西。

哈罗德用力吞了一下口水：“不管在哪儿，应该离哲维山什么的不远了。我好像看到了一块指示牌，但记不清是不是几天前看到的了。我经过了很多山坡和荆豆，还有欧洲蕨。”他听到电话那头深吸了一口气，然后又是一口。他可以想象她的表情，她想事情时嘴巴一张一合的样子。他又说：“我想回家，莫琳。你是对的，我是不可能做到的。我不想继续了。”

最后她开口了。说得很轻，很小心，仿佛要随时收回那些话似的。“哈罗德，我会试试看能不能找出来你在哪里。我想你给我半个小时，可以吗？”他把额头压在玻璃墙上，回味着她的声音。“你半个小时后可以再打一个电话给我吗？”

哈罗德点点头。他忘了她看不见。

“哈罗德？”她又叫了一遍，好像要提醒他自己是谁，“哈罗德，你还在吗？”

“在。”

“给我半个小时，半小时就可以。”

哈罗德试着逛逛街，好让那半小时过得快一点。有人在一家卖鱼柳薯条的店外排队，还有一个男人正对着水沟呕吐。离电话亭越远，他就越害怕，好像他身体最安全的一部分留在了那里，等着莫琳。山坡轮廓深深印上夜空的幕布，一群年轻人正在马路上游荡，朝来往的车辆吆喝，向周围乱丢啤酒罐。哈罗德胆怯地缩进阴影里，怕被他们看到。他要回家了，完全不知道应该怎么跟所有人说自己没有成功，但这些都不重要了。这本来就是个疯狂的想法，他是时候停下来了。再给奎妮写一封信，她会明白的。

他又打了一次电话给莫琳：“还是我。”

她没说话，只是吞了一下口水。他只好说：“我是哈罗德。”

“是。”她又吞了一下口水。

“是不是晚点再打比较好？”

“不是。”她停了一下，低声说，“雷克斯也在。我们看了地图，打了几个电话，他也在电脑上查过了。我们甚至翻出你那本大不列颠摩托旅游指南来看。”她的声音听起来还是不对劲，很轻很轻，好像她刚刚跑了很远的路，还未回过气来。他要用力把话筒压在耳朵上才听得清。

“你想不想和雷克斯打声招呼？”

说完这句她笑了一下，很短促的一声笑：“他也问你好。”接着是更奇怪的声音，好像有人在吞东西，又像在小声打着嗝：“雷克斯认为你可能是在伍勒。”

“伍勒？”

“是这样念的吗？”

“我不知道。现在这些名字听起来好像全都差不多。”

“我们觉得你肯定是在哪个地方拐错了。”她本来想更正应该是在哪“些”地方拐错了，又觉得太费力。“有一家旅馆叫红狮子，我觉得听起来还不错，雷克斯也这么认为。我给你订了一间房，哈罗德，他们会知道你要过去的。”

“但你忘了，我已经没有钱在身上了。而且我看起来肯定一团糟。”

“我用电话信用卡付过钱了。你看起来怎样并不重要。”

“你什么时候过来？雷克斯也会来吗？”他问完两个问题都停了一下，但是莫琳没出声。他甚至怀疑她是不是已经挂掉了电话。“你会来吗？”他又问了一次，感觉体内的血因惊慌而热起来。

她没有挂电话，他听到她吸了长长一口气，就像不小心烫到了手似的。突然她的声音爆发出来，又快又响，几乎震疼了他的耳朵。他只好轻轻把话筒拿远一点。“奎妮还活着，哈罗德。你叫她等你，她还在等你。雷克斯和我查了天气预报，整个英国都画着大太阳。明天早上起来你就会感觉好多了。”

“莫琳？”她是他最后的希望，“我走不下去了。我错了。”

她没有听到，或者明明听到却忽略掉了。她的声音不断从话筒里传来，音调越来越高：“继续走，别停下来。还有十六英里就到贝里克了。你可以的，哈罗德。记住沿着B6525国道走。”

他不知道还能再说什么，挂上了电话。

就像莫琳交代的那样，哈罗德住进了旅馆。他无法直视前台的接待和那个坚持领他上房帮他把门打开的服务员，小伙子还帮他把窗帘拉上，又教他怎样调节空调温度，告诉他洗手间、小酒柜、报纸都在哪里。哈罗德看也没看，只是点点头。空气又冷又僵。

“想喝点什么吗，先生？”服务员问。

哈罗德不知道怎么向他解释酒精和自己的关系，所以只是转过身。服务员离开后，他和衣躺下，满脑子都是不想再走下去。这一晚他睡得很浅，突然一下惊醒了。玛蒂娜男朋友的指南针。他一下把手伸进裤袋，内里都拉了出来，又去翻另一边裤袋，都不见指南针的踪影。不在床上，也不在地上，甚至没在电梯里。他一定是把它落在电话亭了。

服务员为他打开大门，答应等哈罗德回来。哈罗德跑得那么快，整个胸腔就像风箱一样，喘个不停。他一下子推开电话亭门，但指南针已经不见了。

或许是因为太久没有在房间里过夜，躺在床上，还有干净的被褥、柔软的枕头，总之那晚哈罗德哭了。他不敢相信自己居然蠢到丢了玛蒂娜给的指南针。他试着告诉自己那只是身外物，玛蒂娜一定会理解的，但他满脑子都是袋子里空荡荡的感觉，那种空虚大到叫人无法忽略。他生怕和指南针一起弄丢的还有自己最重要、最坚定的一部分。即使好不容易终于迷迷糊糊睡着，他潜意识里还是不断闪现着画面：他看见巴斯那个穿着裙子、眼睛被人打肿了的男人；那个盯着奎妮的信看的肿瘤医生；那个钟爱奥斯汀、对着空气说话的女人；还有满手疤痕的自行车手母亲，他不禁又问自己一次怎么会有人这样对自己。他转个身，更深地埋进枕头里，看见了那个坐火车去看运动鞋男孩的银发绅士，看见玛蒂娜还在等那个永远不会回来的男朋友。还有那个从来没有离开过南布伦特的女侍应呢？维尔夫呢？凯特呢？所有这些孜孜寻找幸福的人。他哭着醒过来，白天走了多久，就又哭了多久。

莫琳收到一张哲维山风景的明信片，没有盖邮戳，上面写着：“天气很好。H.”第二天又收到一张哈德良长城的明信片，但这回什么都没写。

之后每天都有明信片，有时一天有好几张。他写的都是最简短的话：“雨。”“不太好。”“在路上。”“想你。”有一次他画了一座山的形状，还有一次是一个歪歪扭扭的W，也许是一只鸟。但常常上面什么都没写。她叮嘱邮递员留个心，不够的邮资她会垫付。这些明信片比情书更宝贵，她说。

哈罗德后来再没有打电话回家。她每天晚上都等着，但电话没有响过。一想到他最需要帮助的时候她让他继续上路，莫琳心里就很不好受。她当时订旅店和打电话都是噙着泪说话的。但她和雷克斯已经讨论过一遍又一遍，如果在离目标这么近的时候让他放弃，他余生都会后悔的。

已经是六月的尾声了，一同来临的还有狂风暴雨。她花园里的竹架子像喝醉酒一样弯向地面，种下的豆藤只能摸索着向空中伸展。哈罗德的明信片依然一日一达，但明信片上的景象不再专心地朝北方变化。有一张凯尔索的明信片，如果莫琳没记错的话，那里离他应该在的位置往西偏了有二十三英里那么远。接着又有一张埃克雷斯的，然后是一张冷河的，越来越往贝里克以西偏离。几乎每隔一个小时，她就快忍不住要给警察局打电话，话筒都拿在手上了才想起哈罗德随便哪天都可能会到达贝里克，她实在没有什么借口报警。

她没有一晚睡得好，生怕一陷入无意识的睡梦中，就会错失与她丈夫唯一的联系，然后完全失去他。她坐到外面门廊的椅子上，看着晚星，为那个离她万里之遥，但睡在同一片星空下的男人守夜。雷克斯偶尔会在清晨给她沏杯茶，有时还从他车上拿来一张毯子。他们会一起看着夜幕失去颜色，看黎明的曙光初现，什么都不说，也不动。

在莫琳的一切愿望里，什么都比不上哈罗德回家重要。

26

哈罗德与咖啡店

最后一段旅程是最艰辛的。哈罗德能看见的就是路，脑子里什么想法都没有。之前右腿的伤痛又发作了，走起路来一瘸一拐的。没有任何乐趣可言，他根本就身处于一个不存在的地方。苍蝇在他脑袋周围嗡嗡作响，有时还有什么虫子咬他一口、叮他一下。土地很广阔，很空旷，马路上排成一排的车子像玩具一样。又是一座山，又是一片天空，又走了一英里，全都一模一样，令他厌倦得几乎想放弃。他经常会忘记自己到底是在往哪里走。

失去了爱，什么都——都什么？那个词是什么来着？他记不起来了。他记得开头那个字应该是单人旁的，但实在想不起来了。什么都不重要了，浸透夜空的黑暗，打在身上的雨水，吹得人寸步难行的狂风。他浑身湿漉漉地睡着，又湿漉漉地醒来。他再也想不起温暖是一种什么样的感觉。

那些他以为已经摆脱了的噩梦又回来了，他无处可躲。无论醒着还是梦中，他一遍一遍经历着过去，而且从中感到了新的恐惧。他看见自己站在花园棚架里举着斧头胡乱挥舞，手上都是伤口，被威士忌灌得醉醺醺的头左摇右摆。他看到自己的拳头打在成千上万片五彩缤纷的玻璃大头针上，血流如注。他听到自己在祈祷，翻着白眼，双拳紧握，但那些祈祷一点意义都没有。有时他还会看到莫琳转身背对他，走向一团耀眼的白光，就这样消失了。过去那二十年就这样被抽丝剥茧，他再也无法躲到那些平淡无奇或陈腔滥调背后。与这片土地上一切细节一样，所有伪装都不复存在了。

没有谁可以想象这样的孤单。他声嘶力竭地喊了一声，什么回音都没有。他感到身体深处有股寒意，好像从骨头开始结了冰。他闭上双眼，觉得自己睡过去就不会再醒来了，没有丝毫反抗这种想法的动力。当他再次醒来，皮肤被身上僵硬的衣服划过，脸上的皮肤因太阳或是寒冷火辣辣地疼，他只是爬起来，又一次迈开沉重的步子。

鞋子有个地方鼓起来，鞋面和鞋底连接的地方开了个口，鞋底又薄得像纸一样了。他的脚趾随时会穿过破洞露出来，他用那卷蓝色的胶布缠了几圈，从脚底一直绕到脚踝，这样鞋子和他就连成一体了。或者反过来，是他和鞋子连成一体了？他开始觉得鞋子有了他们自己的思想意愿。

走，走，走。这是唯一的语言。他不知道自己有没有叫出声来，抑或是脑子里在想，甚至是有人在朝他喊这几个字。他觉得自己好像成了这世上的最后一个人，整个世界只剩下了路，整个他就是一部走路的机器。他是一双缠着蓝色胶带的脚，在往贝里克走去。

一个周二下午的三点半，哈罗德在空气中嗅到了盐的气味。一个小时之后他走到了一座小山的边缘，眼前躺着一个小镇，边上就是一望无际的大海。他走近粉灰色的城墙，但没有人停下看他第二眼，也没人主动给他任何食物。

出门寄信至今第八十七天，哈罗德·弗莱来到了圣伯纳丁疗养院的大门外。加上有意无意绕过的弯路，他一共走了六百二十七英里。眼前这栋现代建筑一点都不装腔作势，由几排沙沙作响的树守护着。大门附近有一盏老式街灯，还立了一个指示停车场位置的标志。几个身影坐在草坪椅子上，像挂出来等着晾干的衣服。头上有只海鸥回旋着掠过天空，叫了几声。

哈罗德走过微微弯曲的柏油路，举起手放到门铃上。他希望这一刻可以停下，像画面一样，从时空中剪出来：按在白色门铃上的黑手指，洒在肩膀上的和煦阳光，还有头上笑着的海鸥。他的旅程完成了。

哈罗德脑海里闪过将他带到这里来的路。走过马路、山坡，见过房子、篱笆，进过购物中心，经过路灯、邮箱，没有一样有特别之处。它们只是他走过的地方，谁都可能经过这些地方。这个想法突然给他带来一丝痛苦。就在这个从前以为一定充满了胜利喜悦的时刻，哈罗德突然感到一点恐惧。他怎么会认为这些再平凡不过的东西加起来就有更多意义呢？他的手指依然悬在门铃上，却按不下去。这一切都是为了什么？

他想起那些帮助过他的人。那些没人想要，没人爱的人。他把自己也数进去了。然后他开始想从这里开始会发生什么。他会将礼物交给奎妮，谢谢她，然后呢？他会回到那个几乎已经遗忘了的生活里，回到那每个人都用各种小事物将自己与外界隔开的世界里去。回到彻夜无眠的主卧室，而莫琳会重新搬进另外那间房。

哈罗德重新把背包拉上肩膀，转身离开疗养院。走过草坪时，太阳椅上的几个身影连看都没有看他一眼。没有人在等他，所以也就没有人注意到他的到来和离开。哈罗德一生中最不平凡的一刻就这样来了又去了，没有留下一丝痕迹。

在一家小小的咖啡店里，哈罗德向一个女侍应要了一杯水，问能不能借用一下洗手间。他为自己没有带钱道歉，耐心地等着女侍应的目光一点点打量过他油腻打结的头发，千疮百孔的外套和领带，最后顺着浸满泥渍的裤子，落在他那不知道该说是穿着帆船鞋还是蓝胶带的脚上。她撇撇嘴，回头看向身后一个年纪稍大的灰衣女人，她正忙着和几个顾客说话，明显级别更高。于是她对他说：“你最好快一点。”指了洗手间的方向，没有碰他一下。

哈罗德在镜子里看到一张黝黑的、依稀有点眼熟的脸庞。深色的皮肤相对里面的骨头而言好像太多了，松垮垮地挂了几叠，额头和脸颊上有几道伤口，头发和胡子比自己以为的还要乱，又长又厚，眉毛和鼻孔里都有毛发像电线一样伸出来。他是个可笑的老家伙，一个不合时宜的东西。和那个拿着信出门的男人没有任何区别，一点都不像那个穿着朝圣者T恤在镜头前摆姿势的人。

女侍应给了他一个一次性纸杯，里面有清水，但没有请他坐下来。他问了一下有没有人愿意借他一把剃刀或梳子，但那个穿着灰衣服的管理层马上过来给他指了指窗户上贴着的一句告示：禁止乞讨。她让他离开，否则就要报警了。他走向门口时没有一个人抬头，不知道是不是他身上有臭味。他在野外待了那么久，已经忘记什么气味是好的，什么气味是坏的。他知道那些人为他感到尴尬，心里希望能叫他们不用这样。

靠窗的一张桌子旁，一对年轻夫妇正弯腰逗着怀里的婴儿。这一幕牵起了哈罗德内心深处剧烈的痛，他不知道自己怎么还能站得直。

他回头看向管理层和咖啡店里的其他顾客，直视他们的眼睛。他说：“我想要我的儿子。”

这句话让他身体整个颤抖起来，不是轻轻的战栗，而是从身体深处发出来的剧烈的震颤。那股疼痛撕裂胸前的肌肉撞上他的喉咙，哈罗德的脸都扭曲了。

“他在哪里？”管理层问。

哈罗德握紧双拳，尽量不让自己倒下。

管理层说：“你有在这里见到过你儿子吗？他在贝里克吗？”

有个顾客把手放在哈罗德的手臂上，用轻柔得多的声音说：“不好意思，先生，请问你是那个朝圣的人吗？”

哈罗德喘了一口气。是这个人的好心肠让他崩溃了。

“我和我妻子在报纸上看到了你的故事。我们有个很久没联系的朋友，上周才去拜访过他，我们还谈到了你。”

哈罗德任凭那个男人抓着他的手臂说下去，但是他无法回答，也无法动一下。

“谁是你儿子？他叫什么名字？”那男人问，“也许我能帮上忙呢？”

“他叫——”

突然哈罗德的心狠狠一沉，仿佛从一面高墙上翻了下去，跌进无止境的虚空里。“他是我儿子。他叫——”

管理层冷冰冰地看着他。其他顾客站在他身后，好心的男人依然抓着哈罗德的袖子。他们都一无所知。不知道他心底翻腾的恐惧、迷惑和悔恨。他想不起自己儿子的名字了。

外面街上，一个年轻女人试着塞给他一张宣传单。

“今晚是专为六十岁以上人士设的萨尔萨舞课，”她说，“你也应该一起来，什么时候都不算太迟。”

但是已经迟了，太迟了。哈罗德疯狂地摇头，又踉踉跄跄地走了几步。腿上的骨头好像不见了。

“请拿一张吧，”那女孩说，“全部拿去吧。你回头就可以丢到垃圾桶里。我只想快点回家。”

哈罗德在贝里克郡的马路上跌跌撞撞，手里拿着一大叠宣传单，不知道自己在走向哪里。人们纷纷对他避走不及，但他没有停下来。他可以原谅自己的父母不想要自己，不教他怎么去爱，甚至不教他怎么去表达。他可以原谅他的父母，还有他们父母的父母。

哈罗德只想把自己的孩子要回来。

27

哈罗德与另一封信

亲爱的加油站女孩：

我欠你一个完整的故事。二十年前我亲手埋葬了我的儿子。这不是一个父亲该做的事情。我想看到他长大后会成为怎样一个男人。我到现在还是很想。

我直到今天都不明白他为什么要那样做。他有抑郁症，对酒精和药物上瘾。他找不到工作。但我全心全意希望他当时能来找我谈一谈。

他是在花棚里上吊的。他用了一些绳子，绑在我用来挂园艺工具的铁钩上。他体内有那么多酒精和药物，验尸官说他肯定花了很长时间才把结绑好的。最后的结论是自杀。

是我发现他的。我几乎写不下去了。那时我去祈祷，虽然我不信教，就像我在加油站告诉你的那样。我说，亲爱的上帝，请让他好起来，我愿意做任何事。我把他放下来，但是已经什么都没有了。我太迟了。

我但愿他们没有告诉我他花了那么长的时间绑那个结。

我妻子受的打击很大。她不愿走出屋子，挂起了窗帘，因为她不想有邻居来拜访。渐渐地，那些人都搬走了，没有人认识我们，也没有人知道发生过什么事。但每次莫琳看着我，我就知道她又看到了死去的戴维。

她开始和他说话。他陪着她呢，她说，她一直在等他。莫琳将戴维的房间收拾得跟他死的那天一模一样。有时这会让我又重新痛一遍，但这是我妻子想要的。她不能让他死掉，我很明白，这对一个母亲来说实在是太残忍了。

奎妮知道一切有关戴维的事情，但她什么也不说。她很照顾我。她会递给我一杯加了糖的茶，和我谈谈天气。只有一次，她说，也许你已经喝够了，弗莱先生。因为那是另外一个问题，我那时酗酒。

刚开始只是一小杯，让我撑过等待验尸官报告出来的时间。但后来我开始在桌底下藏纸袋子，里面装的是酒瓶。天知道我是怎么开车回到家的。我想如果喝得够醉，就可以什么都感受不到了。

有一晚我真的失去了控制，把整个花园棚架拆了。但还是不够。所以我闯进酿酒厂做了很糟糕的事。奎妮帮我背了黑锅。

她当场就被解雇，然后就消失了。我听说有人警告她滚出英格兰西南部，如果她还知道好歹的话。我还听一个和奎妮房东很要好的秘书说她走的时候没有留下新地址。我就这样让她走了，让她帮我顶了罪。但我从此戒了酒。

莫琳和我有很长一段时间天天吵架。渐渐我们不再说话。她搬出了我们的房间。不再爱我。有很多次我都以为她会离我而去，但是她没有。我没有一晚睡得安稳。

大家都以为我徒步是因为多年前我们有一段罗曼史。但那不是事实。我走这条路，是因为她救了我，而我从来没有说过一句谢谢。这就是我写信给你的原因。我想你应该知道你在几个星期前帮了我多大的忙，虽然我恐怕永远也不可能有你这么大的勇气。

致以我最真挚的祝福及谦卑的谢意。

哈罗德·弗莱。

又及：抱歉一直不知道你的名字。

28

莫琳与来访者

莫琳连着好几天都在为哈罗德回来准备着。她将哈罗德床头抽屉里放着的两张照片拿出来，配了相架；把那间最好的房间刷成淡淡的黄色，挂上浅蓝色天鹅绒窗帘——那是她从义卖商店里选的，还很新，剪短一点就能用了。她还烤了蛋糕，和一堆馅饼、希腊风味肉末烧茄子、意大利宽面、法式勃艮第炖牛肉，一起冰在冰箱里，这些都是戴维还在的时候她常做的菜。橱柜里摆了几罐用红花菜豆做的印度酸辣酱，还有腌洋葱和腌甜菜根。她在厨房和卧室都贴了待办事项清单，有太多事要做了。但有的时候，当她看向窗外，或睁着眼听海鸥像孩子一样鸣叫，她还是会有一种感觉：虽然一直在忙活，但就是有些东西活跃不起来，好像有什么重要事情被她遗漏了。

万一哈罗德回到家，告诉她他还要再上路呢？万一到最后，他还是先于她进入到了下一个阶段？

清早一声门铃把莫琳叫下了楼。门槛外站着一个气色病恹恹的年轻女孩，油腻腻的头发软绵绵地贴着头皮，天气已经回暖，她依然穿一件黑色粗呢大衣。

“不好意思，请问我能进来一下吗，弗莱夫人？”

吃过一壶茶和几块杏子薄饼，她告诉莫琳自己就是几个月前给哈罗德热汉堡的那个女孩。他给她寄了许多别致的明信片，虽然因为他突如其来的名气，加油站里来了几个很是不受欢迎的记者。最后老板说为了她的健康和安全原因，让她离开了加油站。

“你丢了工作？太糟糕了，”莫琳说，“哈罗德听到会很难过的。”

“没关系的，弗莱夫人。反正我也不是那么喜欢那份工作。来的顾客总是大喊大叫，又成天急匆匆的。但我那时对您丈夫说了一些信仰的力量之类的话，我一直很为这个不安。”她看上去的确又焦虑又不安，不停地将同一缕头发别到耳后，虽然它们并没有掉出来，“我想我给了他一个错误的印象。”

“但哈罗德很受你的启发呀，是你的信仰激发了他走路的念头。”

女孩缩在她的外套里，使劲咬着嘴唇，莫琳都担心她会不会把嘴唇咬破了。她从衣袋里拽出一个信封，拿出几页纸递给莫琳，手是轻轻抖着的。“在这里。”她说。

莫琳皱起了眉：“专为六十岁以上人士设置的萨尔萨舞课程？”

女孩拿回纸翻了个面：“信是写在背后的。您丈夫写来的信，寄到加油站了。我朋友在老板看见前告诉了我。”

莫琳静静读着，一直流泪。那场二十年前将他们生生拽开的惨剧依然历历在目，狠狠撕扯着她的心，让她无法理解。读完信，她向加油站女孩道了谢，折起宣传单，手指顺着折痕抚了一遍又一遍，然后将信装回信封，继续坐在那里，一动也不动。

“弗莱夫人？”

“有些事我要解释一下。”

她对女孩讲了戴维自杀的事情，失子之痛让哈罗德和莫琳渐行渐远。“有一段时间，我们都冲对方大吵大闹。我很责怪他，说他应该做个更好的父亲。然后我们就好像无话可说了，搬进了不同的房间。我差不多就是在那个时候开始和戴维讲话的。”

“您是说，他的鬼魂？”女孩问道。明显她看太多电影了。

莫琳摇摇头：“不是鬼魂，不是那些东西。更像是一种存在。我能感受到戴维，那是我唯一的安慰。刚开始我说的都是很短的话，像‘你在哪儿’‘我很想你’之类。但随着日子一天天过去，我说的话越来越多。所有无法告诉哈罗德的事我都告诉他。有时候我甚至希望自己没有开这个头，但又担心如果突然不说了，就会像背弃了戴维似的。万一他真的在那儿呢？万一他需要他的母亲呢？我跟自己说，如果等待的时间足够长，我也许就可以看见他。医院候诊室的杂志里经常报道这种事。我实在太想见他了。”她擦了擦眼睛，“但一次也没有。我看了又看，看了又看，他一次也没有出现。”

女孩将脸埋入手帕，号啕大哭。“噢，上帝，太惨了。”当她放下手帕，眼睛肿得只剩下一条缝，脸颊红通通的，有几丝唾沫粘在她鼻子上和嘴上，“我真是个大骗子，弗莱夫人。”

莫琳伸出手握住女孩。她的手很小，就像小孩子的手一样，但意外地温暖。她握紧了点。

“你不是什么骗子。是你开始了他的旅程，你提起阿姨的时候启发了他。千万别哭了。”

女孩又抽泣了一下，重新把脸埋进手帕里。当她再次抬头，眨眨可怜兮兮的眼睛，颤抖着深吸了一口气。“就是那件事，”她终于说，“我阿姨已经去世了。她几年前就走了。”

莫琳感到有什么东西消失了。房间好像突然间猛地震了一下，就像她踩错楼梯滚了下去一样。“她什么？”语言在她嘴里卡住了。她张开嘴，吞一下口水，又吞了一下口水。然后她急匆匆地说：“但是你的信仰呢？我以为你的信念救了她？我以为那才是重点？”

女孩用力咬着上唇的一角，下巴都斜了一点：“如果癌症认定了你，就没有什么可以做的了。”

这感觉就好像终于看见了自己一早就已经知道的事实。当然没有什么能打败晚期癌症。莫琳想到相信哈罗德的那许多人，想到了哈罗德。就在她们说话的这当儿，他还在吃力地向前走。一阵颤抖传遍了她全身。“就跟您说我是个骗子。”女孩说。

莫琳轻轻用指尖拍着额头，她能感觉到真相源源不断地从她内心深处浮现出来，这些真相比她刚才说出口的还要黑暗。她缓缓地开了口：“如果这里有谁是骗子的话，恐怕是我自己。”

女孩摇了摇头，明显没听懂。

莫琳开始讲述自己的故事，声音很轻、很慢，没有看着女孩，因为她把这些话藏了那么多年，要集中所有注意力才能将它们从那个最隐秘的地方拉出来。她告诉她二十年前，在戴维自杀之后，奎妮·轩尼斯来过福斯桥路13号找哈罗德。她很苍白，还带着花，身上有一种极其平凡，但是又非常高贵的特质。

“她问我能不能给哈罗德带个口信。是关于酿酒厂的，她有些事情要跟他说。她告诉我之后，把花交给我，就离开了。我想我是她离开前见过的最后一个人。我把那些花丢进垃圾桶，一直没跟他提那个口信。”她停了下来。再说下去实在是太痛苦、太羞耻了。

“她跟您说了什么，弗莱夫人？”女孩问。她的声音那么轻，仿佛是黑暗中一只安抚她的手。

莫琳结巴了。那是一段很艰难的日子，她说。那并不能成为她什么都没说、没做的借口，她但愿自己当时选择了另外一条路。

“但我当时实在太愤怒了。戴维死了。我也很嫉妒，在我没法好好对哈罗德的时候，是奎妮安慰了他。我怕如果我给她传了那个口信，他就得到安慰了。我没法做这件事。我不想他感到安慰，因为我没有得到任何安慰。”

莫琳擦了擦脸，继续说下去。

“奎妮告诉我哈罗德有一晚闯进了纳比尔的办公室。都是被悲伤给逼的，她说，悲伤会使人做出奇怪的举动。在她口中哈罗德正在自我毁灭。当他把那些穆拉诺玻璃小丑摔得粉碎，他是有意在挑战纳比尔最坏的一面。他们的老板是有仇必报的人，所以奎妮替他背了黑锅。如果是一个简单的女人，她说，事情就没那么复杂，纳比尔就没法做得太狠。她告诉他是自己打扫卫生时不小心把小丑碰倒了。”

女孩笑了，但她又在哭：“您是说，这一切都是因为您丈夫打碎了什么玻璃小丑？它们很贵重吗？”

“倒不是。它们是他母亲的遗物。纳比尔是个心狠手辣的混混，娶过三个老婆，三个都被他殴打过，有一个还进了医院，肋骨都打断了。但他很爱他母亲。”她苦涩地笑笑，笑容在她脸上逗留了一小会儿，然后她耸耸肩，把笑脸收回，“所以奎妮站出来，帮哈罗德顶了这个责任，纳比尔把她解雇了。

她将一切都告诉了我，让我叫哈罗德别担心。她说他对她一直很好，那是她应该做的。”

“但你没有告诉他？”

“没有。我让他继续自责。后来这成了又一件我们不能说的事情，把我们的距离又拉远了一点。”她眼睛睁得大大的，任由眼泪一滴滴落下，“所以你看，他丢下我离开是正确的。”

加油站女孩没有出声。她又拿了一块薄饼，好像有几分钟时间在专心品尝薄饼的味道，什么也没想。然后她说：“我不觉得他是丢下您出走了。我也没觉得您是个骗子，弗莱夫人。我们都会犯错误。但有一点我是知道的。”

“什么？是什么？”莫琳埋首于掌心，摇着头呻吟道。她怎么可能弥补那么久以前犯下的错误呢？他们的婚姻已经完了。

“如果我是你，我就不会把自己关在这里做饼干，和我说话。我会做点什么。”

“但我已经开车去过达林顿了，根本于事无补。”

“那是一切都顺利的时候，后来又发生了很多事情。”她的声音很低，莫琳抬起头。女孩的脸依然惨白，但忽然闪过一道让人安心的澄明。莫琳猛地惊了一下，也许还叫了出来，因为加油站女孩笑了。“赶紧去贝里克吧。”

29

哈罗德与奎妮

写完信后，哈罗德说服一个年轻人帮他买了个信封和一枚最好的邮票。现在去看奎妮太晚了，所以他在市政公园一张长凳上睡了一晚。第二天一早，他到公共厕所好好清洗了一下，又用手指梳了头发。有人在洗手盆边落下了一个塑料剃须刀，他用它刮了一下胡子，虽然刮得不太干净，但是起码没那么长了，现在看起来更像一根根刺，而不是一堆卷曲的杂草。嘴边一圈特别苍白，与鼻子、眼睛周围的黝黑皮肤格格不入。他背起背包，向疗养院走去。身体好像空荡荡的，不知道是不是该吃东西了，但他一点胃口也没有。如果硬要说有什么感觉的话，那就是隐隐有点想吐。

天空布满厚厚的白云，带着盐味的空气已经暖起来了。一个个驾车出游的小家庭带着野餐椅子和食物到海滩上铺开另一个“家”。目之所及，金属质感的海面在晨光中闪闪发亮。

哈罗德知道结局就要来了，但他完全不知道会是怎样一个结局，也不知道结局之后该怎么办。

他转入圣伯纳丁疗养院的车道，又一次顺着柏油路走上去。柏油路应该是最近才铺好的，哈罗德感觉脚下黏黏的。他没有犹豫就按下了门铃，等待的时候闭上了眼睛，摸索着扶着墙。不知道来应门的护士会不会正好是接他电话的那个，他希望自己不用解释太多。他没有力气说话了。门开了。

他眼前出现一个盘起头发的女人，穿着奶油色高领长袍，外面罩一件黑色绑带外套。他全身都起了鸡皮疙瘩。

“我叫哈罗德·弗莱，”他说，“我走了很长一段路，为了救奎妮·轩尼斯。”他突然间很想喝水，双腿颤抖。他需要一把椅子。

修女笑了。她的皮肤柔软平滑，哈罗德能看到她的发根已经是银灰色的了。她张开双臂抱住哈罗德，她的手很暖，很粗糙，是一双很有力的手。他害怕自己会哭出来。“欢迎你，哈罗德。”她说。她自称菲洛米娜修女，让他赶紧进去。

他擦了一下鞋子，然后又擦了一下。

“别担心。”她说，但他停不下来。他在门槛上用力蹂着脚，然后举起来细细检查，看清楚鞋面没有脏东西后，又继续在门垫上蹭着鞋底。就像小时候那样，他一定要把鞋子弄干净才能进那些阿姨的家。

“我想我该把鞋子脱在门外。”门内的空气清冷而静止，有一股消毒水的味道，让他想起莫琳。另外还有一股味道，是吃的东西，可能是马铃薯。站在一双袜子里，哈罗德觉得自己好像一丝不挂，非常渺小。

修女笑了：“我想你一定很想见奎妮。”她问他准备好跟她走没有，他点了点头。

他们顺着蓝色的地毯往前走，一点声音都没有。没有掌声，没有笑着的护士，也没有欢呼的病人。只有一个哈罗德，跟在一个修女模糊的剪影后，走过一条空荡荡的、干净的走廊。他不确定自己是不是依稀听到了歌声，但凝神再听，又觉得可能是自己想象出来的。也许是风穿过前面的窗缝发出的声音，又或者是有人在叫谁。他突然意识到自己忘了带花。

“你还好吧？”她问。

他再次点点头。

他们到达时，左边的窗户开着，正好可以看到花园。哈罗德向往地望着那片修剪整齐的草坪，想象着自己赤脚踩在柔软土地上的感觉。有一列长凳，还有一个喷水装置喷出一道道弧线，捕捉了阳光，熠熠生辉。前面是一排关着的门，他肯定奎妮一定在其中一道门后面。他紧紧盯住花园，心里突然升起一股强烈的恐惧。

“你刚才说你走了多久？”

“哦，”他回答道。即使跟在她后面，这段旅程的重要性也降到了几乎无关紧要的程度。“走了很久。”

她说：“我恐怕我们没有让其他朝圣者进来。我们在电视上看到他们，觉得这么一大群人有点太吵了。”她转过头，哈罗德觉得她好像朝他眨了眨眼，虽然那肯定是不可能的。

他们经过一道半掩着的门。哈罗德不敢看进去。

“菲洛米娜修女！”外面有人喊道，声音轻得像耳语。

她停下来，看向另一个房间，手臂张开撑住门框。“我很快就过来。”她向房间里面的人说道。修女站着的时候有一只脚轻轻举在空中，脚尖点地，仿佛她是个舞蹈员，只不过穿的是运动鞋。哈罗德不知所措了，他对她一无所知。修女转身向哈罗德暖暖一笑，说很快就到了。哈罗德感觉到有点冷，或累，或是其他什么把生命从他体内抽走了的东西。

修女又走了几步，停下来轻轻敲了敲门。她停了一会儿，手指关节就靠在门上，把耳朵贴过去，然后咔的一声开了门，瞄向里面。

“我们有一位客人呢。”她向屋内说话。哈罗德还是什么都看不见。

修女推开门，自己靠门站着把路让出来。“真叫人兴奋。”她说。他深深吸了口气，好像是从脚底吸上来的，然后将目光投进了屋内。

房间里只有一扇窗，窗外是遥远的灰色天空。一张简单的床摆在墙上一个十字架下面，床下有一个盆子，床尾是一张空椅子。

“但她不在呀。”他没想到自己松了一口气，有点发晕。

菲洛米娜修女笑了：“她当然在了。”她朝床的方向点点头，哈罗德再看一次，发现雪白的床单下好像是有一个小小的身影。影子旁伸出一个什么东西，像一根长长的白色稻草。哈罗德留神又看了一遍，突然意识到那是奎妮的手臂。他感到血液一下子冲到了脑子里。

“哈罗德，”修女的声音传来。她的脸靠得很近，皮肤上布满了细密的皱纹。“奎妮有点迷惑，也受了点苦。但她坚持下来了，就像你交代的那样。”她退后一步，让他进去。

他向前走几步，然后又是几步，心脏一下一下狂跳。他为这个女人走了那么远的路，当现在终于站到她身边，他的腿却忽然好像变成了液体。她静静躺在那里，离他只有几英尺，脸庞面向透过窗户洒进来的光。他不知道她是在睡觉，还是刚吃了安眠药，抑或在等其他东西。她没有动，也没有注意到他的出现，她的身体在床单下几乎看不出什么形状，瘦小得像个孩子。

哈罗德把背包摘下，搁在肚子前，仿佛要把眼前这一幕止住。他鼓起勇气向前迈了一步，又一步。

奎妮剩下的头发很稀疏，白得像灌木丛中的米兰花，蓬松地盖在头皮上，分向两边，仿佛是被强劲的风吹开的。他能看见她头皮上的皮肤像纸一样薄，脖子上贴满了胶布。

奎妮·轩尼斯看起来就像另一个人，一个他从未见过的人。一个鬼魂，一具躯壳。他回头寻找菲洛米娜修女，但门口已经空了。她已经走了。

他原本可以放下礼物就离开，或许再留下一张卡片。写几行字好像是最好的选择，至少他可以写几句安慰的话。他突然感到一股力量，正打算回头，突然奎妮的头开始慢慢地、稳稳地从窗户那边转过来，哈罗德又一次怔住了，定定地看着。刚开始是左眼和鼻子，然后是右边的脸颊，直至她完全转过来，他们在二十年来第一次见面。哈罗德的呼吸停止了。

她的头不对劲。那是两个头长到一起了，第二个是从第一个的颧骨上长出来的，一直长到下巴那里，好像随时会爆掉。它挤得她的右眼睁不开，直接逼向了耳朵。她嘴唇的右下角被挤开了，朝下颌方向拉过去。她举起干枯的手，仿佛想躲起来，但挡也挡不住。哈罗德痛苦地呻吟了一声。

他还来不及反应，就叹出声了。她的手摸索着找纸巾，但没有找到。

他宁愿自己能假装看到的并不是这么可怕的一幕，但他装不出来。他的嘴张着，两个词下意识地蹦了出来："你好，奎妮。"走了六百英里，这就是他能说出口的话。

她什么也没说。

"我是哈罗德，"他说，"哈罗德·弗莱。"他意识到自己在点头，夸张地说着每一个字，不是对着她变了形的脸，而是对着她干枯的手说的，“我们很久以前一起工作过。你还记得吗？”

他又瞟了一眼那个硕大的肿瘤。那是一个闪着光的球状突起，上面布满了网状的血管和瘀青。奎妮唯一睁着的眼睛朝他眨了眨，眼角滑下一滴晶莹的泪水，一下子落到枕头上。

“你收到我的信了吗？”

她这张脸是赤裸裸的，像一头被困住的小动物。

“明信片呢？”

我是不是快死了？她的眼睛问道。会疼吗？

他无法看下去。拉开背包，他将所有东西都翻了出来，虽然背包里很暗，他的手又在颤抖，加上感到奎妮一直盯着他，他总是想不起自己要找的到底是什么。“我带了一些小纪念品，是我一路上挑的。有一块挂墙用的石英石，挂在你窗边肯定很好看。我找找就找到了。还有蜜糖。摆到哪里去了？”他突然意识到长了这么大一个肿瘤，她也许已经不能进食。“但是当然，也许你根本就不爱吃蜂蜜。但那个罐子还是挺好看的，也许可以放放笔。是在布克法斯特教堂买的。”

他拉出那个装着玫瑰石英的纸袋子，递给她。她没有动。他把它放在她干枯的手附近，拍了两下。当他抬起眼，他怔住了。奎妮·轩尼斯正从枕头上滑下来，仿佛她脸上那个可怕的突起正尝试把她拉到地下。

他不知道该怎么办。他知道应该帮忙，却不知道该怎么做。他害怕在她遍布胶布的脖子下还有更多。更多伤口。更多她虚弱生命的残酷证据。他无法忍受这些。哈罗德大声喊人来帮忙，刚开始还试着压低声音，不要吓着她。但接着他又喊了一遍，越来越大声。

“你好啊，奎妮。”进来的修女说了一句，但这不是刚才那个修女。她的声音更年轻，身体更结实，动作也更大胆。“来点光线怎么样？这里简直像个太平间。”她走向窗户一下子拉开窗帘，挂窗帘的金属环在横杠上叮叮当当响起来。“有客人来看你了，多好啊。”哈罗德感觉她的一切和这间房比起来有点太活泼了，尤其奎妮现在处于这么脆弱的状态。他们居然让她去照顾像奎妮这种脆弱的病人，哈罗德几乎有点生气，但她能来帮忙，又让他松了一口气。

“她——”他没法说完这句话，只能指一指床上。

“不是吧，又来了。”修女活泼地说，好像奎妮是一个小孩子，又把食物弄到衣服上了。

她走到床的那一头，调整了一下奎妮枕头的位置，然后伸手钩住她腋下一抬，向上一托她的身体。奎妮像破了的洋娃娃一样任她摆布，这就是哈罗德记忆中她最后的样子——一再忍受着，当别人将她提起来放到枕头上，开着他非常反感的玩笑。

“很明显亨利走了一路来看你呢。从山长水远的——你是从哪里来的，亨利？”

哈罗德张开嘴，想解释自己不叫亨利，住在金斯布里奇，但突然失去了说话的动力。似乎犯不着去纠正她。在那一刻，他甚至觉得不值得花那么多力气来做人。

“你刚才是说多赛特吗？”修女又问。

“是。”哈罗德用同样的语气应道，所以有一阵子听起来就像两人都在朝着海风呼喊似的，“从南面来的。”

“我们要不要给他斟杯茶？”她问奎妮，但是没有看她，“你乖乖坐下来，哈罗德，我给我们都冲杯茶，你顺便可以听听发生了什么事。我们最近挺忙的，不是吗？最近收到了那么多信件卡片，上周居然还有个女人从柏斯写信过来。”她边走边转向哈罗德，“她能听见你说话的。”她说。他觉得如果奎妮真的能听见，特意在她面前强调这事是很不体贴的。但他没有说出来。现在是越简单越好。

哈罗德拉过奎妮床边的椅子，往后拉了几英寸，以免挡住别人。他把手夹到膝盖之间。

“你好啊，”他又说了一次，仿佛两人刚刚才见面，“我真的要说，你做得很棒。我妻子——你还记得莫琳吧？——我妻子让我转达她最真挚的祝福。”把莫琳也拉入这个对话，哈罗德感觉好像安全了一点。他希望奎妮能说点什么打破沉默，但她什么也没说。

“对，你做得很棒，”然后又是，“真的，很棒。”他回头看那去泡茶的修女回来没有，但还是只有他们两个。他伸了个长长的懒腰，虽然他其实挺精神的。“我走了很久，”他虚弱地说，“要不要帮你把石英挂起来？店里的员工喜欢放到墙上，我知道你也会喜欢的。据说有促进身体恢复的功能。”她张开眼睛，看到了他的目光。“但我也不确定是不是这样。”

他不知道自己还要这样坚持多久。他站起来，系在绳子一头的石英从他指间滑落，左右摇晃。他假装在找一个合适的地方将它挂起来。窗外的天是一片耀眼的白色，没法分辨到底是云还是太阳，花园里有个修女正漫不经心地推着轮椅上的病人走过草坪，轻轻地说着什么。哈罗德纳闷她是不是在祈祷，很羡慕她的淡定。

哈罗德感觉从前的情绪和画面又回来了。它们曾被他埋葬了那么久，因为没有一个人可以天天承受这种折磨。他抓住窗台，努力深呼吸，但是燥热的空气并没有让他松一口气。

他又想到开车送莫琳到丧葬承办人那里见戴维最后一面的那个下午。她带了几样东西：一朵红玫瑰，一只泰迪熊，还有一个枕头。在车上她问哈罗德给戴维准备了什么，虽然明知他什么都没带。那天的太阳压得很低很低，刺了他眼睛一路。两人都戴了墨镜，莫琳到家也不愿意摘下来。

在承办人那里，她对哈罗德说想单独和戴维道别，哈罗德惊讶了一下。他把脸埋进手心，坐在外面等着，直到一个路人主动递了根烟给他。虽然已经很久没抽烟，哈罗德还是接过了。他试着想象一个父亲会对死去的儿子说些什么，他的手指抖得厉害，路人点了三根火柴才帮他把烟点着。

浓重的尼古丁味瞬间充斥了喉咙，一路烧下去，把他的内脏搅得倒过来。他站起来弯腰对着垃圾桶，一股腐烂的气味扑鼻而来。在他身后，空气被一声刺耳揪心的哭叫划破，像动物在嚎叫，哈罗德镇住了，身体紧靠住了垃圾桶。

“不要！”莫琳在殡仪馆里哭号，“不要！不要！不要！”哭声好像打在他身上，反射向头顶金属一样刺眼的天空。

哈罗德喘着气对垃圾桶吐出一堆白色泡沫状的呕吐物。

她出来时不小心碰到他的目光，手像闪电一样戴上墨镜。她哭得那样厉害，好像整个人都要融化了。他惊恐地发现她瘦了这么多，肩膀像衣架一样挂着身上的黑裙子。他想走过去抱紧她，也让她抱紧自己，但他浑身都是香烟和呕吐物的味道。他低头在垃圾桶边徘徊，假装刚才没有看见她，她直接走过他上了车。他们之间的距离在阳光底下像玻璃一样闪耀。他擦擦脸和手，终于跟了过去。

回程车上，两人都一声不吭。哈罗德知道他们之间发生了一些永远不可能改变的事情。他没有和自己的儿子告别。莫琳有，但他没有。这个区别永远都会存在。后来举行了一个小小的火葬仪式，但莫琳不想接受任何致哀。她挂起窗帘，挡住人们窥探的目光，虽然有时他感觉那更多是为了不让她自己看见外面的世界。她埋怨了一段时间，责怪哈罗德，然后连埋怨都停止了。他们在楼梯上擦身而过，与陌生人没有两样。

他想起她那天从殡仪馆走出来戴上墨镜前看他的那一眼。那一眼好像成了他们之间的一个契约，使他们余生面对对方都只能言不由衷，生生撕裂了他们曾经最珍爱的东西。

在奎妮即将去世的这间疗养院里想起这一切，哈罗德痛得抑制不住地颤抖。

他以为当他终于见到奎妮，他可以对她说谢谢，甚至再见。他以为两人再聚首，会在某种程度上赦免掉过去那些糟糕的错误。但没有什么聚首，甚至没有一句告别，因为他认识的那个女人已经离开了。哈罗德觉得应该留下来，就这样靠着窗棂，直至自己接受这一点。还是应该坐下来呢，如果坐下来会好受一点。但是还没坐下他就知道不可能了。无论坐着还是站着，他都需要很长一段时间才可能将这个事实嵌入自己的认知：奎妮的情况竟已衰退至此。戴维也已经去了，再也不会回来。哈罗德把石英绑在一个窗帘挂钩上，打了个结。它在阳光下打着转，那么小一块，几乎叫人难以注意到。

他想起戴维几乎溺水那天自己摆弄着鞋带。想起和莫琳从殡仪馆开车回来，知道一切都结束了。还有，妈妈离家出走后，他看见还是一个小男孩的自己一动不动地伏在床上，想着是不是自己越不动，就越有机会死去。而在这里，在过了这么多年之后，却躺着一个与他相交不深但亲切体贴的女人，她努力地抓紧剩下的最后一丝生命。袖手旁观是不够的。

沉默中他走到奎妮的床旁。她把头转过来，找到了他的目光，看着他在身旁坐下。他伸手去握她的手，那样脆弱的一双手，几乎一点肉也没有。它微微地蜷曲起来，也碰到了他的手。他笑了。

“离我在文具柜里找到你那天好像已经过了好久了。”至少这是他心里想说的话，只是不知道有没有说出口。空气静止了很长一段时间，空荡荡的，直至她的手从他手中滑落，她的呼吸慢下来。

一阵瓷器相碰的丁零声把哈罗德吓了一跳。“你还好吧，亨利？”年轻修女脚步欢快地端着一个盘子走进来。

哈罗德再看向奎妮。她已经把眼睛闭上了。

“我可以把茶留在这儿吗？”他说，“我该走了。”

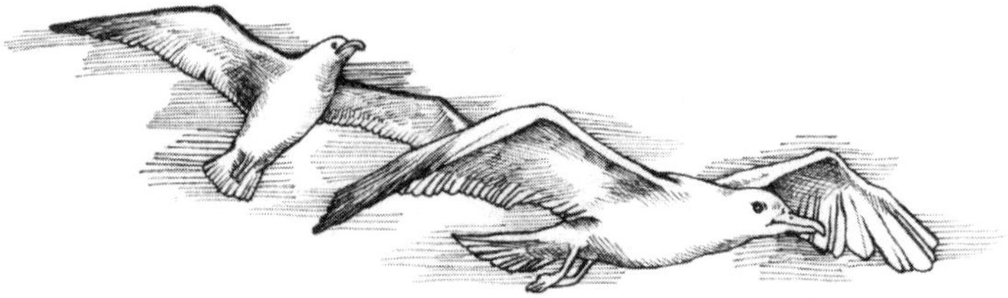

30

莫琳与哈罗德

一个悲伤的身影孤零零坐在长椅上，弓着背顶着风，望着海边，好像已经在这里坐了一辈子。天色灰沉沉，海面也灰沉沉，叫人看不清哪边是海哪边是天。

莫琳停了下来，胸腔里仿佛有把锤子一下一下敲在心上。她一步步走向哈罗德，又停下，就站在他身旁，虽然他没有抬头，也没有说话。他的发尾已经碰到防水外套的衣领，卷成软软的圈，她真想伸出手去抚摸，想得心都发痛。

“你好啊，陌生人。”她说，“介意我坐下来吗？”

他没有回答，只是把外套拉得更紧，移到椅子另一头，让了一点空位出来。海浪打在沙滩上，碎成白色的泡沫，把小石子和贝壳碎片推上岸，留在了那里。涨潮了。

她在他身旁坐下，稍微隔了一点距离。“你猜这些浪走了多远？”她说。

他耸耸肩摇了摇头，好像在说，这是个很好的问题，但我真的不知道。他的身影那么空洞，好像被什么东西吃光了，眼睛下挂着深深的黑眼圈，像瘀青一样。他又变成了另一个男人。好像老了好几年。剩下的一点胡子看着可怜兮兮的。

“怎么样？”她问，“你去看奎妮了吗？”

哈罗德依然把手夹在膝盖之间。他点点头，没有说话。

她又说：“她知不知道你今天会到？她高兴吗？”

他叹口气，像什么东西裂开了。

“你有——看见她吧？”

他点点头，一直点，好像大脑忘记传送停下的信号了。

“那你们有说话吗？说了什么？奎妮有没有笑？”

“笑？”他重复。

“对呀。她高兴吗？”

“没有，”他的声音很虚弱，“她什么也没说。”

“什么都没说？你确定吗？”

又是一阵点头。他的沉默像一种病，好像也影响了莫琳。她拉高衣领，从大衣口袋里拿出手套。她想过他可能会难过，可能会筋疲力尽，那都是因为旅途结束了。但这是一种将周围的生气都吸走的冷漠。

她说："那些礼物呢？她喜欢吗？"

"我把背包给那些修女了。我猜这样做是最好的。"他轻声说，每个字都小心翼翼，好像随时都有掉进情绪火山口的危险。"我根本不该这样做的。我应该寄封信，一封信就够了。如果我只是简单寄封信，我就可以——"她等着，但他只是向海平线望去，好像忘了自己正在说话。

"但是，"她说，"我还是很惊讶——你做了这么多事——奎妮却什么也没说。"

至少他转过头来看住了她的双眼。他的脸和他的声音一样，一点生气也没有："她说不出来。她没有舌头了。"

"什么？"莫琳大声地吸了一口气。

"我想他们把舌头切除了。还有一半喉咙和脊椎的顶部。那是最后一搏，但还是没有用。没办法做手术，因为已经没有可切除的东西了。现在有一个肿瘤从她脸上长了出来。"

他别过脸，半眯着眼，重新望向天空，仿佛正努力摒除外在的干扰，好更仔细地看清脑子里渐渐成形的真相："那就是她无法听我电话的原因。她说不了话了。"

莫琳又转向大海，试着想明白这一切。远处的浪是平的，闪着金属的光泽。它们知不知道前方就是旅程的终点呢？

哈罗德的声音再次响起："我没有留下，因为没什么话可说了。就像收到她的信时一样，也是无话可说。莫琳，我是那种感激钟表的声音打破沉默的人。我怎么可能改变什么呢？我怎么会以为自己能制止一个女人的死呢？”

仿佛有股强大的悲伤在他体内横冲直撞，哈罗德紧紧闭上眼，张着嘴，发出一连串无声的抽泣。“她是那么好的人，她总是想帮忙。每次开车载她，她都为回家的路程准备一些贴心的东西。她经常问起戴维，还有剑桥——”他说不下去了，全身发着抖，泪水从眼里疯狂地涌出来，五官都扭曲了。莫琳脱下了手套。“你该看一看。你该看看她的，阿琳。太不公平了。”

“我知道。”她伸出左手紧紧握住哈罗德的手。她看着他放在大腿上黑乌乌的手指，还有突出的蓝色血管。几周没见，她还是如此熟悉这只手，不用看也知道就是它。她一直握着它，直至哈罗德渐渐冷静，只有两行泪静静淌在脸上。

他说：“一路上我记起了很多东西。很多我都没有意识到自己忘了的回忆。有戴维的，还有你和我的。我甚至记起了我母亲。有些回忆很不容易，但大部分都很美。我很害怕。我怕有一天，或许很快，我就会又把它们弄丢，而这一次就是永恒了。”他的声音轻轻摇晃着。他勇敢地吸一口气，开始把自己记得的全都告诉她，关于戴维的回忆像最珍贵的剪贴本一样，在他面前展开。“我不想忘记他婴儿时的脸。还有他听着你哼歌睡觉的样子。我想把这些都留下。”

“你当然会记得的。”她说。她试着笑一下，不想继续这个对话，虽然从他看她的眼神可以感觉到，他想要更多。

“昨天我连戴维的名字都想不起来了。我怎么可能忘记呢？我真受不了有一天我可能会看着你的脸，却不认识你了。”

她感到眼睑一阵刺痛，摇摇头：“你的记忆没有衰退，哈罗德。你只是非常、非常累而已。”

当她迎上他的注视，那目光是赤裸裸的。他抓住她的眼神，她也抓住他的目光，过去的二十年消失了。莫琳又看到了多年前那个野性的、年轻的、像魔鬼一样起舞的男人，那个向她的每一根血管注入疯狂爱意的男人。她使劲眨眨眼，用手擦了一下。滚滚浪花拍岸，越推越高。带着这么大的能量，用尽精力，漂洋过海，载舟驶船，最后的结局就是成为她脚边的一团泡沫。

她开始考虑从现在开始即将发生的一系列事情。要定时去看全科医生。可能会感冒，甚至发展成肺炎。要验血，测听力视力，测胆固醇。或许，上帝保佑，还要做手术，然后是恢复期。当然，到了最后，终于会有一天，他们永远只剩下自己孤零零一个。她浑身颤抖。哈罗德是对的，要一个人承受这一切，实在是太多了。走了这么远的路，终于找到了最重要的是什么，却发现必须又一次放手。她开始想是不是该经科茨沃尔德回家，在那里待上几天；或许再绕道去一趟诺福克，她很乐意去霍尔特走走。但也可能他们不会。要想的东西太多了，她实在没有把握。海浪摔在岸上。又一个浪。再一个浪。

“一点一点来。”她呢喃道，靠近哈罗德，张开了双臂。

“噢，阿琳。”他轻声喊道。

莫琳紧紧抱住他，直到悲伤散去。他很高，很木讷，他是她的。“你这个可爱的人，”她摸索着他的脸，亲着他咸咸的湿漉漉的脸颊，“你站出来做了一件事。你连能不能去到那个目的地都还不知道，却还是努力尝试了一切方法。如果连这都不算一个小小的奇迹，我真的不知道还有什么能算了。”

她的嘴唇在颤抖。她将他的脸捧在手心，他们离得这么近，哈罗德的脸已经失去了焦点，触目所见只是自己对他的感觉。

“我爱你，哈罗德·弗莱，”她轻声说，“那是你的功劳。”

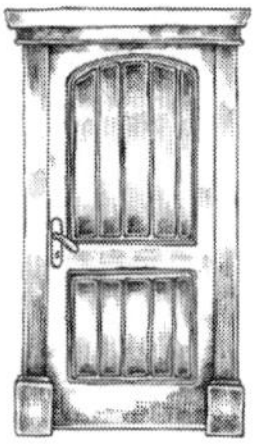

31

奎妮与礼物

奎妮盯着眼前一片模糊的世界，看到了从前没见过的东西。她眯起眼，努力对准焦点。是一道粉红色的光，不知怎样悬在空中，慢慢旋转着，每隔一会儿就把一千种颜色的微小光斑投到墙上。它美丽了好一会儿，她的目光一直跟着它，直至眼睛太疲倦，她随它去了。

她几乎什么都不是了。一眨眼，她就不存在了。

刚才有人来过，现在又走了。是她喜欢的人。不是修女，虽然她们都是好人。也不是父亲。是另一个好男人。他说了什么走路之类的话，对，她记得的。他走了很远的路。但她想不起到底是多远。也许是从停车场到这里。她头痛欲裂，想叫一杯水。她待会儿会叫的，但是现在，她想就这样静静地躺着。她终于感到很安定、很轻松。她闭上了眼。

哈罗德·弗莱。她想起来了。他来道过别了。

她曾是一个叫奎妮·轩尼斯的女人。她会算账，还写一手极好的字。她爱过，也失去过，这样应该就够了。她触碰过生命的实质，也曾经游戏人生，终于有一天，我们都将关上那扇门，把一切放下。这个可怕的想法伴了她许多年，但是现在？她不怕了。什么都不怕了。只觉得累。她把脸埋入枕头，感觉有什么东西像花朵一样在脑子里绽放，头越来越重。

是一段遗忘了很久的记忆。那么近，近得她几乎能尝到它的味道。她在儿时家中的楼梯上跑下来，穿着她的红皮鞋。爸爸在叫她的名字，抑或是那个好人，哈罗德·弗莱？她跑得很快很快，一直在笑，因为太好笑了。“奎妮？”是他的声音，“你在吗？”她已经能看见他的轮廓，高高的，背着光，但他还在不停叫着她的名字，目光到处搜索，就是看不到她站在那儿。她胸中一顿，突然喘不上气。“奎妮！！”她渴望他终于能找到她。“你在哪儿？这女孩跑到哪儿去啦？你准备好了吗？”

“准备好了。”她说。周围很亮很亮，即使闭上眼，她还是能看见一片银光。“准备好了！”她提高了声音，好让他听到，“我在这里！”窗户那边有个什么东西转了一下，给整间屋子洒下星光。

奎妮张开嘴，想吸入一口空气。空气没有进来，但是另外一样东西来了，像呼吸一样轻松自然。

32

哈罗德、莫琳与奎妮

莫琳很冷静地听完了那个消息。她订了一间向海的双人房，他们简单吃了点东西，然后她给哈罗德放洗澡水，帮他洗头。她细心地帮他剃了须，又涂了点保湿乳。一边帮他剪指甲、按摩脚，一边向他坦白了自己做过的所有事情，让她后悔不已的一切事情。他说他也一样。他好像感冒了。

接完疗养院的电话，她握住了哈罗德的手。她把菲洛米娜修女的话原原本本地转述了一遍。奎妮最后走得很安详，几乎像个孩子一样。有个年轻一点的修女坚信奎妮走之前喊了一句什么话，仿佛见到了哪个她认识的人。“但路西修女还非常年轻。”菲洛米娜修女说。

莫琳问哈罗德想不想一个人待会儿，他摇了摇头。

“我们一起来面对。”她说。

遗体已经移到另一间房，在礼拜堂旁边。他们跟在一个年轻修女身后，一句话也没说，因为任何词语此时都太生硬易碎了。莫琳能听到疗养院里传来的声音，低沉的对话，短暂的笑声，还有水管的嘶嘶声。还能依稀听到室外有小鸟在叫，抑或是在唱？她感觉体内有个世界将她吞掉了。他们在一扇门前停下，莫琳又问了一次哈罗德想不想自己进去。他再次摇了摇头。

“我怕。”他说，那双蓝色的眼睛寻找着她。

她看到了他眼里的惊惶、悲痛、无奈。然后她突然想到了。他还从来没有见过遗体。“我知道，但是没事的。我也在。这次会没事的，哈罗德。”

“她走得很平和。”修女说。她是个胖嘟嘟的女孩，脸颊上有两朵粉色的玫瑰红。如此年轻活泼的女孩照顾着将死之人，还能保持这样的活力，莫琳很欣慰。“她去之前还带着笑容，好像找到了什么东西。”

莫琳瞥了一眼哈罗德，他的脸苍白得好像血都流光了。“我很庆幸，”她说，“我们很庆幸她能走得这样平和。”

修女走开几步又折返回来，好像想起了什么东西：“菲洛米娜修女想问两位愿不愿意参加我们的晚祷？”

莫琳礼貌地笑笑，现在开始做信徒太晚了：“谢谢你，但哈罗德太累了，我想他最需要的是好好休息。”

年轻修女平静地点点头：“当然。我们只想让你们知道，我们随时欢迎你们。”她握住把手，推开了门。

莫琳一走进去就认出那种味道了。是那种结冰一样的凝滞，混着一丝焚香的痕迹。一个小小的木质十字架下面，躺着奎妮·轩尼斯曾经的身体，白色的头发梳顺了铺在枕头上，双眼紧紧闭着。她的手臂放在床单外面，手心松开向上，好像主动放开了某样东西。她的脸微微斜向一边，挡住了那个肿瘤。莫琳和哈罗德静静地站在她旁边，又一次意识到生命可以消逝得如此彻底。

她想起了那些年前躺在棺材里的戴维，想起自己抱起他空空的头，一遍又一遍亲吻他，不能相信自己的不舍不够将他带回来。哈罗德站在她身边，双手紧紧握成拳。

“她是个好人，”莫琳终于说，“她是个真正的朋友。”

她的指尖突然感到一阵温暖，他紧紧抓住了她的手。

“你做的已经够多了。”她说。不仅是为奎妮，为戴维也是一样。虽然那件事将他们生生切开了，像一把刀子将水果切成两半，分别丢进黑暗中，但他们的儿子毕竟做了他想做的事。“我错了。我真不该怪你的。”她的手指紧紧抓住他的手。

她注意到从门缝透进来的光，还有疗养院依稀的声音，像水一样填满这片虚空。这房间如此阴暗，细节都看不清了，连奎妮的轮廓也模糊起来。她又想到那些海浪，想到生命没有结束就不算完整。她会一直站在哈罗德身边，无论他想站多久。到他迈步离开，她依然跟着。

他们出来的时候弥撒已经开始了。他们停下来，不知道应该道谢，还是应该悄悄离开。哈罗德让她稍微等一等。修女们的声音响起，编织成歌，有那么一个美丽的、稍纵即逝的瞬间，悠扬的天籁让她的身体充满了欢欣。如果我们不能打开心扉，莫琳想，如果我们不能接受无法理解的东西，那就真的没有希望了。

“我们可以走了。”哈罗德说。

他们在黑暗中顺着海岸散步。野餐的家庭已经收起了食物和椅子，只剩下几个人在遛狗，和几个穿着荧光外套跑步的人。他们谈了很多：最后一朵芍药，戴维上学第一天，天气预报。都是很小的话题。月亮很高、很明亮，在深不可测的海面投下颤抖着的影子。远处海平线上驶过一艘船，灯光明灭，但实在太慢，无法辨认它在往哪个方向航行。这片景象充满生机活力，与哈罗德和莫琳格格不入。

“这么多故事。这么多我们不认识的人。”她说道。

哈罗德也看着这一幕，脑子里却塞满了其他东西。他无法解释自己是怎么意识到的，也不知道这个发现让他高兴还是悲伤，但他肯定奎妮会一直陪着他，戴维也一样。还有纳比尔、琼、哈罗德的父亲和那些阿姨，只是他们不会再有斗争和过去的伤痛。他们会成为他走过的空气的一部分，就像那些他在旅程中见过的路人一样。他看见人们作着形形色色的决定，有些决定既会伤害他们自己也会伤害那些爱他们的人，有些决定根本不会有人注意到，还有一些决定会带来欢欣快乐。他不知道离开贝里克后有什么东西在等着他，但他已经准备好了。

又忆起多年前的那个夜晚。哈罗德在跳舞，突然发现隔着一整个舞池的莫琳在看着他。他还记得那一刻疯狂地挥舞四肢的感觉，仿佛要在这个美丽女孩的见证下甩掉过去的一切。他鼓起勇气，越跳越起劲，双腿踢向空中，双手像滑溜溜的海鳗扭动。他停下来仔细观察，她还在看着他，这次她碰到他的目光，忽然笑了。她笑得那样乐不可支，抖着肩膀，秀发拂过脸庞。他生平第一次不由自主地穿过舞池，去触碰一个完全的陌生人。天鹅绒一样的秀发下，是苍白而柔软的肌肤。她没有回避。

“嗨，你。”他说。他的整段童年时光都被剪掉了，只剩下他和她。他知道无论发生什么，他们的路都已经连在一起了。他知道自己会为了她做任何事。想起这一幕，哈罗德浑身都轻松了，好像心底某个很深的地方，又暖过来了。

莫琳将衣领拉到耳朵旁，抵御渐浓的寒意。背后小镇华灯已上。“我们是不是该回去了？”她问，“你想回去了吗？”

哈罗德打了个喷嚏。她转过身，想给他找一条手帕，却听到一下短促的像是擤鼻子的声音，几乎轻不可闻。他啪一声捂住了嘴巴。又是一下擤鼻子的声音。不是喷嚏，也不是喘息。

是哼声，窃笑的哼哼声。

“你没事吧？”莫琳说。他好像在很努力地将什么东西含在嘴里。她抓住他的袖子：“哈罗德？”

他摇摇头，手依然紧紧贴在嘴上。又是一声。

“哈罗德？”她又问一遍。

他两只手都举起来捂住脸，好像想抚平两边的腮帮子。他说：“我不该笑的，我不想笑的。但是——”他噗一声狂笑出来。

她还是不懂，但嘴角也泛起了一丝笑意。“也许我们是该笑一笑了，”她说，“什么东西这么好笑？”

哈罗德深吸一口气，定下神来，转身看向莫琳，那双美丽的眼睛在黑暗中闪烁：“我也不知道怎么就想起这件事来了。但你还记得舞会那一晚吗？”

“我们第一次见面那次？”她开始笑出声来。

“对，记得我们笑得像两个小屁孩一样吗？”

“噢，你到底说了什么，哈罗德？”

他终于忍不住爆发出一声狂笑，只好捂住肚子。莫琳看着他，此时也咯咯笑开了，随时也可能爆发出来，只是还没有他笑得那么厉害。哈罗德已经笑得弯下了腰，看来真是笑到肚子痛了。

笑声中，哈罗德找机会说道：“不是我，不是我说了什么。是你。”

“我？”

“对呀。我说了一句你好，你就抬头看着我。然后你说——”

她知道了。她想起来了。笑声从她腹部深处爆发出来，像氦气一样充满了全身。她啪一声捂住嘴：“当然！”

“你说——”

“对对对，我——”

但就是怎么都说不出来。他们试过了，但每次一张嘴，就又爆发出新一轮的狂笑，毫无办法，止都止不住。他们只好抓住对方的身体，稳住自己。

“哦，上帝，”她急促地说，“噢，天啊。那话根本连小聪明都算不上。”她又想笑，又忍着笑，发出的声音既像抽泣又像尖叫。紧接着又一重笑巨浪一般袭来，莫琳猝不及防，一连打了好几个嗝。这回更惨了。两人都抓着对方的手臂，弯下腰，笑得不可开交。眼睛笑出了泪水，脸都笑痛了。“人家会以为我们一起犯了心脏病的！”她笑着吼道。

“你说得对，连好笑都算不上。”哈罗德边说边用手帕擦眼睛。有一会儿他好像正常了。“那就是爱的威力。其实是最平常不过的一句话，一定是我们太快乐了，所以才觉得那么好笑。”

他们又一次牵起对方的手，走向海岸，两个小小的身影映在黑色浪花的背景下，越走越远。只是刚走了一半，肯定有谁又想起了那句话，再次激起一轮狂笑。两个身影就这样拉着对方的手，站在海边，在笑声中摇晃。

（完）

重新养育一些东西的感觉，真好。

一个人的朝圣
哈罗德·弗莱
627里
87天
10 0 20 40 60
里
苏格兰
贝瑞克
终点
凯尔索
伍勒
阿尼克
赫克瑟姆
纽卡斯尔
达灵顿
北海
里彭
哈罗盖特
约克
爱尔兰海
曼彻斯特
利兹
韦克菲尔德
巴恩斯利
谢菲尔德
切斯特菲尔德
诺丁汉
德比
威尔士
阿什比德拉祖什
莱斯特
霍尔特
伯明翰
考文垂
剑桥
沃里克
斯特拉特福德
切尔滕纳姆
斯特劳德
内尔斯沃思
布里斯托尔
巴斯
伦敦
英格兰
韦尔斯
蒂弗顿
汤顿
南安普敦
朴次茅夫
巴克法斯特
修道院
埃克塞特
伊斯特本
南布伦特
洛迪斯迷尔
金斯布里奇
起点
英吉利海峡